Clémentine & compagnie

1. Star en danger

ISBN : 2-7459-0415-9

Yves Hughes

Clémentine & compagnie

1. Star en danger

LES ROMANS DE
julie

Et si on se parlait sur mon mail ?
Écris-moi à : clem.et.cie@free.fr

1

Scène de ménage

Mes parents s'étaient encore chiffonnés. J'étais partie me réfugier dans ma caravane. Fermée à double tour sur mon petit univers, loin des adultes. Avec mes CD, mon ordinateur portable, mes posters et Dumpy Dunce qui ne pensait qu'à jouer.

Je me suis jetée sur le lit avec lui. Ses petits crocs ne font pas encore mal et ses grosses patounes maladroites ne blessent pas. Même si les canines, comme les griffes, laissent entrevoir les armes redoutables qu'elles seront plus tard.

Je me suis redressée.

– Est-ce que les tigres s'aiment aussi comme ça ?...

Je pensais à mes parents. Il me regardait en inclinant la tête.

– À coups de gueule ?

Deux yeux jaunes en amande, interloqués. Il n'attendait qu'une seule chose de moi, lui : mon amour. Il ne demandait que mes bras pour l'enlacer, mes mollets pour les mordiller… et un biberon de lait cinq fois par jour. Rien d'autre.

Les tigres sont moins compliqués que les humains.

Ça avait commencé la semaine précédente. Dès notre arrivée à Rouen. Comme chaque automne, nous nous installions sur la rive gauche de la Seine pour la foire de la Saint-Romain. La plus grande foire de province. Mon père voulait un emplacement précis pour son train fantôme. Ma mère lorgnait le même pour monter son Dragnet Flame.

Ben tiens !

Un petit morceau de bitume jalousement disputé. Cour de récréation pour adultes pas mûrs. Et j'étais entre les deux pour arbitrer leur conflit. Moi, Clémentine, quatorze ans, Casque bleu de la guerre entre mon père et ma mère.

La proximité de la grande roue était, selon papa, idéale pour son train fantôme. « Les clients sont dans une dynamique de frayeur… » C'est le train fantôme que de génération en génération la branche paternelle de mon arbre généalogique se transmet. Plus qu'une tradition, c'est un véritable titre de noblesse. Un sceptre ! Pour des rois sans pouvoir au royaume de l'illusion, des rois du divertissement. Je me demande qui peut bien encore être effrayé dans la molle obscurité de ce manège, assis sur le skaï déchiré des banquettes. On y est ballotté dans les vieux wagonnets qui grincent et on ne frôle que des côtelettes de squelettes en toc. Mais bon. C'est mon père !

Ma mère, elle, voulait l'emplacement parce qu'il côtoyait l'entrée principale de la foire. Son attraction, hyper moderne et très sophistiquée dans le genre effets spéciaux, est la plus chère. S'agit pas que les gens s'y pointent en bout de course, les poches vides. « Les clients entament tout juste leur dynamique de dépense… » répète-t-elle à mon père. Et dans le Dragnet

Flame, là, je ne me demande pas ce qui peut bien attirer les amateurs. Oh non ! Parce qu'elle est géniale, cette attraction. Blindée ! Le truc vraiment fracassant. À vous en faire tomber les dents ! Bourrée d'hologrammes en 3D, de trucages assistés par ordinateur et de sensations « feedback » avec son digital. Faut voir ! Même si je trouve qu'elle y va parfois un peu fort avec mon père. Mais bon. C'est ma mère !

J'ai rempli un bol de lait que j'ai déposé par terre dans le coin kitchenette. Dumpy Dunce s'est précipité en sautant du lit. Dans son élan, il s'est ramassé. Ses pattes de bébé ont jonglé dans le vide pendant que sa truffe rose labourait le tapis.

– Dumpy !...

Pas vexé du tout, il s'est remis sur ses pattes et a commencé à tanguer vers son bol de lait tel un « vrai » tigre à l'approche d'une proie. Puis il s'en est détourné pour relever la tête et me regarder dans les yeux. J'ai compris.

– Tu exagères ! À ton âge !...

J'ai versé le contenu du bol dans un biberon. Et j'ai pris mon tigre dans mes bras.

– À ton âge, les enfants tigres commencent à goûter de la viande ! Tu m'entends, Dumpy ?

Je sentais dans mes muscles ses ronronnements de plaisir.

– Y en a même qui apprennent à chasser !

Il ne m'écoutait pas. Sur le dos, pattes écartées, les yeux fermés, sa fourrure parcourue de frissons de bonheur : il tétait.

J'ai allumé le radiateur électrique et j'ai sorti une couverture. Je regardais Dumpy Dunce qui dormait, allongé sur mon lit, les petits coussinets de ses pattes ouverts comme des paumes de mains humaines. Il couinait en rêvant. Des traces de lait restaient collées sous son menton, dans les poils blancs.

Qui aurait pu lui apprendre à chasser ? Qui aurait pu lui montrer comment déchirer la viande avec les dents ? À la mort de ses parents, dans un vieux cirque hongrois dont le dompteur s'était enfui avec la caisse, j'avais récupéré Dumpy Dunce de justesse avant que les services vétérinaires l'envoient dans un zoo. Caché au fond de ma caravane, il ne connaissait que mon odeur et mes biberons.

En soulevant le rideau, j'apercevais les autres caravanes. Les lampes s'allumaient. Je repérais celle de mes parents, sur cales, mauve et argent, un peu ringarde, dont l'intérieur devait résonner des éclats de voix de leur dernière dispute.

Plus loin, la caravane du Pirat', celle du Petit Train du Far-West, celle de la Tour Infernale, celle du Manège Aquatique, et le camping-car des confiseurs qui sent toujours la guimauve et la pomme au sucre. Ils ont pour habitude de rapporter les invendus chaque soir pour se les boulotter au dessert.

Là-bas, la caravane de Vanessa, où son père et son oncle devaient enfiler leurs combinaisons pour affronter tout à l'heure le Mur de la Mort. Je voyais aussi le mobile home de Guillaume et celui d'Arthur, où les parents respectifs s'appliquaient sans doute à compter les jetons de plastique et les balles de plomb qu'ils alignaient dans des boîtes en fer-blanc.

La brume normande que charriait le fleuve recouvrait le campement d'une atmosphère de coton. Sensation tamisée, vaguement lugubre, auréolée des taches de couleurs diffuses des manèges sur le champ de foire.

J'ai appelé Vanessa.

– Ça va ? elle a demandé.

– J'ai le trac !

– Tu m'étonnes ! Passer devant des caméras de télé... moi ça me ferait claquer les genoux !

– J'ai vu Guillaume, il est de « jetons » ce soir...

– Arthur ?

– Sais pas. Il y a de la lumière chez lui.

– M'étonnerait pas qu'il soit de corvée de cibles.

– Tu crois ?

– J'arrive pas à m'y faire, Clém'. T'imagines la glu ! Pauvre Arthur, avoir un père aussi radin !

Pour économiser le prix des cibles, le père d'Arthur a pour manie de récupérer celles que les clients n'ont pas emportées. C'est Arthur qui colle des gommettes au dos de chaque carton. Une pour chaque trou. Il y passe ensuite le fer à repasser pour égaliser. (Un vrai Buffalo Bill d'intérieur, Arthur. Le Pat Garrett de la gommette ! En sens inverse : reboucheur de trous !) Quand il n'est pas obligé de confectionner de nouvelles cibles en découpant des carrés dans de vieux cartons de supermarché qu'il doit ensuite peindre en suivant les cercles dessinés au compas.

– Mon père m'attend, Clém'! Va falloir que j'y aille…

– Vas-y.

– Je croise les doigts pour toi demain. Quelle chance, ma vieille ! Tu me raconteras, hein !… Le miel !

Elle a raccroché. (Dans le langage de Vanessa, un désastre se traduit toujours par « La glu ! », tandis que le bonheur s'exprime systématiquement par « Le miel ! ». On s'y fait vite.)

J'ai posé le portable et me suis approchée de mon ordinateur pour interroger ma messagerie.

clem.et.cie@free.fr*.

J'aurais fait n'importe quoi pour oublier ce qui m'attendait.

Aucun e-mail. Dumpy Dunce mordait son bol de lait vide. (Ses débuts de chasseur ?) Quelle journée j'allais vivre, demain ! Mes débuts au cinéma !

---

* *Cette adresse électronique existe : je réponds à tous vos messages.*

Enfin... à la télé, plutôt. Grâce au feuilleton *Soleil de femme.* Certaines scènes du prochain épisode seraient tournées sur la foire, au milieu des manèges. Maquillage, projecteurs, moteur, ça tourne, action... Je croiserais l'actrice principale, l'héroïne de treize millions de téléspectateurs : Audrey Sollen. J'approcherais peut-être aussi Sylvain Delorme. En direct, en vrai, en face. Sylvain Delorme en chair et en os. Rien que pour moi. En mèche rebelle et z'yeux verts !

De quoi faire crever de jalousie Vanessa avec ses rêves de starlette, ses chaleurs de midinette et son cœur en torche au fond des chaussettes !

2

Scène de manège

Dumpy Dunce m'a réveillée. Biberon de lait pour lui, tasse de café soluble pour moi. Et croissants secs piochés dans un vieux sachet pour nous deux.

Le radiateur avait ronronné toute la nuit. L'intérieur de la caravane était douillet. Radio sur 97.5, douche brûlante dans la cabine exiguë, séchage en règle des pieds à la tête, pull à col roulé, jean, pas de maquillage.

Let's go !

Dumpy Dunce, au bout de sa laisse de fortune, me tirait en direction de la caravane des parents. (Il espère toujours y récolter une deuxième tournée de petit déj'. Moi aussi, parfois, quand mes placards personnels sont vides.) Sa robe blanche se fondait dans la brume du matin.

Je crois que c'est grâce à lui que j'avais pu décrocher ce petit rôle dans l'épisode. Un bébé tigre blanc, ce n'est pas banal ! Quand l'équipe de repérage était venue pour élire les manèges où l'on tournerait, le producteur avait flashé dès qu'il m'avait aperçue avec Dumpy Dunce dans les bras. Le réalisateur était emballé.

Au bout de la corde, ce n'était qu'un gros chat pataud, un peu trop enveloppé, qui faisait pipi entre les roues des caravanes. Une espèce de tigre de gouttière ébouriffé.

Le rideau de la caravane mauve et argent tremblait.

– Dis à ta mère qu'elle n'est pas réglo !...

– Dis à ton père que je m'en fous !...

C'était reparti. À peine entrée, j'y ai eu droit.

– Tu le sais bien, pourtant ! C'est une règle d'or : les attractions de frayeur à la suite ! Bonjour ma grande... tu ne crois pas, toi ?

– Ma règle d'or à moi : serrer le client quand il arrive encore lesté ! Bisou ma belle... qu'est-ce que tu en penses ?

Je ne répondais pas. Je me refuse à entrer dans leur jeu. Mon père s'est remis à peigner la fourrure synthétique de son faux gorille en haussant les épaules, ma mère s'est dirigée vers la kitchenette en me lançant un clin d'œil.

– Cappuccino ?

Ma mère est la reine des cappuccinos.

– Pour deux ! j'ai lancé en désignant Dumpy Dunce.

Café, lait, crème fraîche... du moelleux, du mousseux, du vaporeux. Avec du chocolat noir râpé par-dessus. Une merveille !

Dumpy Dunce en avait la truffe barbouillée.

– Clémentine ! Tu ne voudrais pas me recoudre le drap du fantôme ?

C'est toujours pareil avec mon père. Il y a toujours un client qui tire sur les poils de son gorille, crache sur sa sorcière ou arrache au passage le drap de son fantôme. Et comme ma mère n'a jamais accepté de les lui repriser...

– Plus tard, papa. Pas le temps aujourd'hui !

Soupir paternel. Œillade maternelle.

– Et pour moi, Clémentine... tu pourrais te pencher sur le logiciel de mon Dragnet. Je crois qu'il faudrait modifier le programme, la synchro n'est pas encore parfaite et…

Pas le temps non plus. Ni pour l'un ni pour l'autre.

– Désolée !

J'ai quitté la caravane parentale, mon tigre sur les talons et mon avenir devant moi.

Enfin, mon avenir… disons ma journée.

Ils ont allumé la grande roue. Guillaume surveillait les opérations, à côté de son père, debout derrière les manettes à l'intérieur de la cabine vitrée. Le réalisateur voulait avoir dans le champ une nacelle orange. Guillaume a lancé les moteurs et le manège s'est mis à tourner lentement tel un gros animal pas réveillé.

Les nacelles sont passées les unes après les autres sur l'aire de départ. Jusqu'à la bonne.

Le réalisateur a changé d'avis.

– Non, la verte !

Le matin, à cette heure-là, la foire était encore fermée au public. Ça faciliterait les prises. L'équipe de tournage prenait son rythme. Chacun occupé à sa tâche. Les figurants se mettaient en place.

Le siège de Sylvain Delorme était vide. Au grand désespoir de Vanessa.

– Tu crois que je le verrai ?

– Pas ce matin, il n'a aucune scène de prévue.

– La glu !...

Les maquilleuses poudraient les nez, les pommettes et les fronts pour éviter qu'ils brillent. L'une d'elles a même voulu passer du fond de teint sur la truffe de Dumpy Dunce. Grognement, canines découvertes, coup de patte, elle n'a pas insisté. Pourtant, il ne voulait que jouer.

Les coiffeuses regonflaient un brushing, rehaussaient un balayage, plaquaient un épi, lissaient, laquaient, gelaient.

La scripte s'est plongée pour la dixième fois dans ses notes. Elle retrouvait l'ordre des séquences, la succession des plans, vérifiait que tout serait sans faute de raccord.

Les ingénieurs du son terminaient les essais de voix.

Sous les injonctions du directeur photo, les machinistes orientaient les projecteurs, les écrans réfléchisseurs et les « parapluies ».

Le réalisateur aboyait des ordres dans son porte-voix.

Et le producteur, un peu en retrait, faussement bonhomme, surveillait son petit monde d'un œil attentif. Œil qu'il laissait régulièrement tomber sur la trotteuse de sa montre.

Dans ce métier, le temps c'est de l'argent.

On m'avait installée dans la nacelle verte, Dumpy Dunce sur les genoux. J'étais censée finir mon tour de grande roue, descendre, croiser le regard du héros, articuler trois mots et me perdre dans la cohue des figurants-clients de la fête foraine.

Un rôle très important ! Gros plan sur moi. Avec le regard de Sylvain Delorme dans le mien, et son sourire à fleur de peau.

– Le miel !… s'était enthousiasmée Vanessa quand je lui avais décrit la scène.

Ce que je ne lui avais pas avoué, parce que je l'ignorais encore, c'est que je jouerais toute seule. Avec personne en face de moi. Sylvain Delorme tournerait la scène plus tard, dans le vide lui aussi. Le réalisateur cadrerait nos visages en gros plan… séparément. Ça évitait les tracasseries des champs et contrechamps laborieux à mettre en place.

La raison, je croyais la connaître. Sylvain Delorme craignait de devoir refaire la scène cinquante fois à cause de mon inexpérience. Je ne suis pas née de la dernière pluie. J'avais pigé. Si je bafouillais, si je sortais du cadre ou si je me plantais dans ma réplique, l'équipe pouvait bien passer trois heures sur ce plan. Lui, l'Acteur avec un grand A, ne s'y épuiserait pas : il jouerait sa partition en deux minutes, de son côté.

Le réalisateur a bondi de son fauteuil.

– Une idée ! Et si le tigre lui échappait des mains ?

Tout le monde le dévisageait, puis fixait Dumpy blotti contre ma poitrine, au fond de la nacelle.

– Elle descend du manège… bon… mais elle ne se contente pas de croiser le regard de Sylvain… Non ! Non ! À ce moment-là le tigre lui échappe des bras !

– … ?

– Et c'est le héros qui le récupère et le lui rend !

Ça voulait dire que Sylvain Delorme jouerait avec moi. Vanessa fondait dans son coin, derrière les caméras. Totalement liquéfiée, du miel plein les gobilles.

L'acteur a été appelé de toute urgence. Un assistant est allé le chercher dans sa caravane et on a commencé à tourner.

Commencé seulement.

Parce que Dumpy, lors de la première prise, s'est endormi. À la deuxième, il a bâillé en poussant un râle déchirant qui a fait exploser le casque de l'ingénieur du son. À la troisième, il n'a pas voulu s'échapper de mes bras. À la quatrième, il a bien sauté mais il est resté à mes pieds. À la cinquième, il s'est échappé comme convenu, mais pour aller mordre un câble de caméra qu'il a débranché. À la sixième, il a bondi sur le micro d'ambiance pour jouer avec la bonnette. (L'instinct du chasseur ? La bonnette poilue rappelait-elle à son inconscient l'image d'un rat musqué ?... Non, je crois qu'elle lui rappelait plutôt l'image de mes peluches avec lesquelles il adore s'amuser.)

L'équipe commençait à s'arracher les cheveux.

L'œil du producteur s'abîmait sur sa montre.

À la septième prise, quand Dumpy a tout compris et tout bien réussi, c'est moi qui ai raté mon coup. Troublée par le regard de Sylvain Delorme, j'ai franchement patiné dans mon texte. Inversé les trois mots que j'avais à lui débiter.

Quelle débile !

Il a fallu trente-huit prises. Pour une scène de deux minutes. Plus une veste de rechange pour Delorme. Parce que lors de la trentième prise, alors que le héros me rendait mon tigre fuyard, celui-ci s'est mis à lui faire pipi dessus.

3

Chasse aux stars

– Alors, il est comment ?

– Vanessa ! Tu l'as bien vu !

– Pas d'aussi près que toi !

– Eh ben... comme sur tes posters. Avec plus de relief.

– Gros, tu veux dire ?

– Mais non idiote ! Au contraire : mince comme tout !

– Ses cheveux ?

– Toujours blonds. Mais je crois que c'est une teinture.

– Non ?

– M'a semblé.

– Arrête ! Ses yeux ?

– Toujours verts.

– Ses lèvres ? Sa bouche ?

– Dévastatrices.

– Ses épaules ? Musclées ? Et ses bras ? Et sa voix ? Et sa tête ?

– Alouette…

– Arrête, Clém'! C'est sérieux ! Et son sourire, dis ? Son sourire ?

– Charmant.

– C'est tout ?

– Plein de dents.

Je suis allée chercher dans le frigo le milk-shake aux poires que je lui avais préparé. Vanessa n'y a même pas prêté attention.

– Arrête de te foutre de moi, Clém'! Il sent bon ? Son parfum ?

– Boisé. Léger. Sucré. Un peu citronné aussi.

– C'est tout ?

– C'est pas une pêche melba, ton Sylvain Delorme !

On était attablées dans ma caravane pour un de nos habituels déjeuners de filles du mercredi. J'essayais en même temps de faire manger Dumpy Dunce dans son bol. Rien à faire.

– Laisse-le tranquille !

– Je ne voudrais pas le biberonner toute sa vie. Faut qu'il grandisse ! Qu'il devienne un homme… je veux dire : un tigre.

Dumpy s'est détourné du bol de lait. Quant aux morceaux de viande que je lui avais découpés, il ne les a même pas reniflés.

– Laisse-le et raconte-moi !

J'avais fini par le prendre sur mes genoux et par lui enfourner sous la moustache son biberon plein de milk-shake.

– Qu'est-ce que tu veux que je te dise, Vanessa ! Il n'a rien fait de plus que ce qui est écrit dans le scénario.

– Et qu'est-ce qu'il t'a dit ?

– Son texte, pardi. « Je crois que cette petite peluche tiède est à vous, mademoiselle. »

– Oh là là !…

– « Faut faire attention. Avec des yeux aussi beaux… »

– Le miel !…

– C'était écrit dans le script, Vanessa, remets-toi.

– « Des yeux aussi beaux… » Oh là là !…

– Récupère-toi, ma vieille : dans la scène, le personnage parlait des yeux de Dumpy.

– Tu crois ?

– Évidemment !

– La glu…

Elle engloutissait carrément sa déception dans le milk-shake. Dumpy avait fini le sien. Il a sauté par terre. Depuis le début du repas, Vanessa ne me parlait que de son Sylvain Delorme.

– Et l'autographe ?

– Hein ?

– Tu lui as bien demandé un autographe ?

– Ben non.

(Entre comédiens. Un autographe ! Je trouvais ça petit.) Elle trépignait. Dumpy Dunce l'a regardée, sans comprendre, avant de prendre ses mouvements convulsifs pour un jeu et de se précipiter sous la table pour lui mordiller les chevilles.

– On y va !

– Où ça ?

Elle s'était levée d'un bond.

– Chez lui ! Dans sa caravane ! Lui en demander un !

On a traversé le camp de forains en direction du carré occupé par l'équipe de tournage. Camions techniques, de la régie, des costumes et du maquillage, mobile home du producteur, plus deux caravanes personnelles pour les deux acteurs principaux : Audrey Sollen et Sylvain Delorme.

En chemin, de la caravane de mes parents nous sont parvenues des bribes d'engueulade. Vanessa m'a regardée. J'ai levé les yeux au ciel. Elle a souri gentiment. (Elle n'a pas ce genre de problème : depuis que sa mère est partie, elle vit entre son père et son oncle qui s'occupent d'elle avec autant d'amour que pour leurs motos.)

– Qui voilà !...

Arthur et Guillaume, mains dans les poches, nez au vent.

– En vadrouille, les filles ?

– Et vous ?

– Quartier libre jusqu'à deux heures !

Arthur avait rebouché plus de cinquante cibles la veille au soir et il en avait fabriqué une vingtaine pendant la matinée.

– Même pas eu le temps d'aller voir le tournage ! Ça s'est bien passé ? T'as pas eu le trac ?

– Tu penses ! j'ai dit.

Il n'était pas sûr non plus de pouvoir assister au tournage l'après-midi : comme tous les mercredis, il aiderait son père à tenir le stand de tir.

– Génial ! a fait Guillaume. J'étais à la caisse de la grande roue. Aux premières loges. Clém' a super bien joué ! Naturelle et décontractée ! Incroyable ! Et c'était pas facile à cause de Dumpy… Qu'est-ce qu'il est beau, Delorme !

(Non alors. Pas lui aussi !)

– Justement, a fait Vanessa, on va lui demander un autographe.

Les deux garçons ne se sont pas fait prier pour nous suivre. Même si Arthur, le charme aux yeux verts de Sylvain Delorme…

– Dis, Clém', toi qui es dans le métier à présent, tu pourrais pas… Audrey Sollen, elle est où sa caravane ? (Lui, ce serait plutôt l'actrice qui le fait rêver.)

Vanessa s'est sentie fondre dans le miel dès qu'elle a entendu sa voix (« Une minute, j'arrive ! »). J'avais frappé à la porte de la caravane sans trop y croire et nous avions perçu des mouvements à l'intérieur. Froissements de tissu, placards refermés, bruits de pas. Il était bien là.

– Qu'est-ce que c'est ?

Il ne nous ouvrait pas. Debout derrière la porte, il nous la jouait grand-mère barricadée qui a peur des voleurs. Déception.

Vanessa me poussait du coude. J'ai crié :

– Je suis Clémentine ! J'ai tourné la scène ce matin avec vous... et mon tigre !

Précision périlleuse. Le souvenir de Dumpy n'était peut-être pas le meilleur laissez-passer. La veste et l'honneur de Sylvain Delorme s'en trouvaient peut-être encore entachés.

Pourtant, la porte s'est ouverte sur ses yeux verts.

– Qu'est-ce que tu veux ?

Il nous dévisageait tous les quatre, en alternance, et chaque fois que son regard croisait celui de Vanessa, je percevais un profond soupir à côté de moi.

– On aurait aimé... je ne vous l'ai pas demandé ce matin...

– Un autographe ! a jeté Vanessa en lui tendant son Quo Vadis aux pages roses.

Il s'était changé. Pantalon de velours noir et chemise de flanelle grise ouverte sur trois boutons. Son torse était bronzé. Quand il s'est penché pour prendre l'agenda, une médaille s'est échappée par l'ouverture de la chemise. Un petit dauphin en argent. Craquant.

– On vous admire beaucoup ! a fait Guillaume sans le lâcher des yeux.

– Énormément ! a rajouté Vanessa dans un souffle.

(Ses joues étaient aussi roses que les pages de son agenda.)

L'acteur signait. Derrière lui, l'intérieur de la caravane était en désordre. Des vêtements traînaient par terre dans des effluves de parfum de luxe. Des chaussettes sur les accoudoirs et des mégots de cigarettes au fond des bouteilles de bière. Vanessa était en extase.

– Voilà !

Elle reprenait son trésor.

– Je peux vous ?...

Arthur se marrait doucement. Guillaume était contrarié.

– Me faire la bise ? a terminé Sylvain Delorme. Si tu veux.

Il était habitué. Une petite corvée de plus. Des embrassades mouillées de lycéennes enfiévrées, il devait s'y prêter de bonne grâce dix fois par jour. Il a tendu ses joues.

Sur sa lancée, il s'apprêtait à enchaîner avec moi. Cou allongé pour le prochain baiser. Dans le vide. Je n'avais pas bougé. (Ce genre de gamineries de fans, très peu pour moi !)

Guillaume, envoûté lui aussi, a failli avancer ses joues en offrande. Mais la porte de la caravane se refermait.

– Le miel ! Le miel !... Il m'a embrassée !

– Oui ben ça va !

Elle ne se laverait pas la figure pendant des semaines !

– Je croyais qu'il ne fumait pas, a dit Guillaume.

On marchait le long des caravanes.

– Hein ?

– Tous ces mégots au fond des bouteilles...

Vanessa a confirmé. Sur aucune photo elle n'avait vu Sylvain Delorme une cigarette à la main. Aucun paparazzi ne l'avait jamais surpris en train de fumer. Dans aucune interview, dans aucun magazine de la presse people. (Et Dieu sait qu'elle les lit, Vanessa, les magazines people. Tous ! Sans exception ! Plusieurs fois !)

– Il a reçu quelqu'un ! a lancé Arthur qui essayait de repérer la caravane d'Audrey Sollen.

Guillaume restait songeur, vaguement déçu. Le désordre des vêtements, passe encore, mais les bouteilles de bière vides par terre, ça ne correspondait pas à l'image qu'il s'était faite de l'acteur. Pas assez classe. Il imaginait plutôt Sylvain Delorme dégustant de grands bordeaux à petites gorgées délicates, attablé dans un restaurant chic, les yeux dans les yeux d'une beauté fatale…

Vanessa aussi semblait déroutée.

– Il ne sent pas du tout ce que tu m'as dit ! Qu'est-ce que tu m'as raconté, Clém' ? J'ai pas reconnu le citron !

Elle essayait de retrouver l'odeur de son acteur en reniflant le vide autour de ses joues. Coton !

On a éclaté de rire.

On approchait du rêve d'Arthur. La caravane d'Audrey Sollen. Je pouvais bien lui faire ce plaisir à lui aussi.

– C'est celle-là ! j'ai annoncé en tendant le doigt.

Une immense Phénix bleu ciel aux rideaux de soie parme. Quatre essieux. Huit roues. Au moins vingt-cinq mètres carrés. Antenne parabolique sur le toit. Un petit palace roulant ! La production ne s'était pas foutue de la star. Logique, *Soleil de femme* rassemblait chaque jeudi plus de treize millions de téléspectateurs fidèles. S'agissait de la chouchouter, l'héroïne.

– Il y avait quelqu'un...

On n'écoutait pas Guillaume. On guettait les rideaux de soie.

– Dans sa caravane, insistait-il. Planqué dans un placard... il y avait quelqu'un.

Arthur nous a arrêtés en écartant les bras. Une silhouette venait de surgir à l'angle de la Phénix. Un type grand et maigre, au pantalon trop court, longeait la caravane en essayant de regarder à travers les fenêtres...

L'homme n'avait pas besoin de se dresser sur la pointe des pieds. Son visage arrivait à la hauteur de la frise des rideaux. Il parcourait la longueur du véhicule, aux aguets.

Il a disparu derrière. On apercevait ses pieds entre les essieux, ses chevilles maigres au-dessous de l'ourlet du pantalon trop court.

– Un paparazzi ?

Je n'avais pas repéré d'appareil photo autour de son cou.

De l'autre côté de la caravane, il s'est immobilisé. Que faisait-il ? Audrey Sollen était-elle à l'intérieur ? Impossible de le savoir.

Les pieds de l'homme étaient toujours au même endroit.

– Il force la serrure... vous croyez ? a murmuré Guillaume.

4

Train fantôme

C'est toujours plus difficile de tourner des séquences au milieu des badauds. L'après-midi, la fête foraine était ouverte au public.

Ça déambulait en criant, en croquant des pommes d'amour ou des gaufres dégoulinant de chantilly. Ça levait le nez vers le sommet du grand huit en marchant dans la moutarde des hot dogs. Ça cherchait ses enfants égarés, ça appelait, ça grondait. Et ça riait. Ça perdait sa monnaie, ça comptait ses jetons, ça se collait de la barbe à papa dans les cheveux.

Ça se bousculait en mercredi après-midi.

L'équipe avait tendu un ruban de plastique jaune pour délimiter la zone de tournage. Comme dans ces scènes de meurtre au ciné.

Périmètre de sécurité devant le train fantôme. Laisser la place aux professionnels.

Un accessoiriste passait un chiffon sur le skaï du wagonnet. Celui où Audrey Sollen allait s'asseoir. Sa doublure lumière laissait la place. Le son était réglé. On allait chercher l'actrice dans sa caravane.

– Le miel !...

À côté de moi, Vanessa quêtait des yeux. Inutile. Sylvain Delorme ne jouait pas dans cette séquence.

Je tenais Dumpy Dunce dans mes bras, coincée entre les curieux qui voulaient à tout prix apercevoir un visage connu. Guillaume m'a désigné mon père assis derrière sa vitre, l'œil cabotin. Quand il avait su que certains plans seraient tournés dans « son » train fantôme, papa n'avait pas hésité : il avait quémandé une apparition. Par exemple jouer son propre rôle. Le metteur en scène avait accepté du bout des lèvres. Je savais pourquoi : il filmerait papa dans sa guérite vitrée, en train de vendre ses tickets... et couperait le plan au montage.

Je connaissais le métier, désormais.

Sauf que papa n'est pas tout à fait un idiot. (Plus malin que lui, je ne vois pas... si : maman.) Il avait exigé qu'on tourne avec la plus grande fidélité. Réalisme réalisme. Donc...

– Il faudra aussi qu'ensuite, une fois le billet vendu, je m'approche du wagonnet de ma cliente pour le lui demander !

C'est ainsi qu'une fois le moteur demandé et le clap actionné, la lumière des projecteurs éclaira la silhouette féline d'Audrey Sollen qui s'approchait de la caisse où trônait mon père...

La steadicam ne manqua aucun de ses gestes quand elle paya. (Sans s'attarder sur le sourire trop forcé de papa.)

Une caméra d'épaule suivit l'héroïne jusqu'au wagonnet où elle s'installa en dépliant ses longues jambes.

Et à ce moment-là, sorti de sa guérite, mon père vint occuper tout l'écran, cherchant à orienter son meilleur profil face à la caméra (son meilleur sourire et son irrésistible pupille-de-fer-sous-un-cil-de-velours), pour prendre le ticket des mains de sa jolie cliente. (Plan recommencé huit fois, avec à chaque prise le souhait du réalisateur qu'il y ait un peu moins de présence paternelle dans le cadre !...)

– Coupez !

La star était emportée dans le ventre du train fantôme. Sa chevelure flamboyante venait de disparaître entre les portes à battants.

– Caméra trois ! Prête ?... Attention quand elle apparaîtra au balcon !...

La foule levait les yeux. Là-haut les rails ressortaient de la façade pour permettre aux wagonnets de faire une brève apparition à l'air libre, un gorille accroché à l'arrière du carénage. (Quand j'étais plus jeune, le mercredi et le dimanche, c'était moi, sous la peau du gorille. Mon père avait demandé à ma mère de coudre un petit déguisement à ma taille.)

Les gens ont lâché une exclamation. Audrey Sollen venait de réapparaître au balcon, toujours bringuebalée dans son wagonnet. Derrière elle, accroché au dossier, un gorille lui chatouillait le cou.

– Qu'est-ce que c'est que ça ? a lancé quelqu'un.

Là-haut dans son wagon, l'actrice a poussé un cri. D'effroi. J'ai trouvé qu'elle y mettait du talent. Les pattes velues du gorille se promenaient sur sa nuque. Et déjà ils disparaissaient tous les deux dans l'obscurité du manège.

– On enchaîne ! La louma, attention au final !...

Il était prévu un long mouvement de cette caméra montée sur bras articulé au moment où le wagon ressortirait. Une sorte de zoom arrière spectaculaire pour souligner la fin du tour.

Mais le zoom arrière de la louma fut plus spectaculaire qu'on ne s'y attendait. Lorsque les battants se sont écartés... le wagon était vide.

5

Dans le ventre du manège

L'obscurité rendait nos corps irréels. Mon père nous guidait avec le seul faisceau de sa lampe de poche qui laissait des reflets mouvants inquiétants.

Fantômes en goguette dans le ventre d'un manège…

Le réalisateur et l'agent d'Audrey Sollen nous suivaient, enjambant les rails, contournant une lame de couteau en papier alu, évitant les fausses toiles d'araignées.

Je connais par cœur l'intérieur du manège de mon père. Je sais exactement où mettre les pieds, où baisser la tête et où lever les genoux. Les yeux fermés je sais m'y diriger. Pas eux. Ni Dumpy Dunce qui parfois, dans un couinement de souris vexée, se cognait la truffe à un panneau de contreplaqué. (Ça ne chasse pas la nuit, les tigres ?)

J'ai fini par le prendre dans mes bras.

La lampe à la main, éclairant le sol derrière lui, mon père avait des airs d'ouvreuse. Sauf que là, ce n'était pas du cinéma…

– 'Tention au vampire !

Dracula souriait de toutes ses canines (en acier galvanisé, incassables, sur lesquelles j'avais rajouté au pinceau des traînées de vermillon n°38 de ma boîte de peinture à l'huile).

– Ici, les wagons négocient leur premier virage… juste devant la gueule du requin… qu'ils évitent au dernier moment.

– Comment tout ça se déclenche ? a demandé le réalisateur.

– Des capteurs au sol, a dit mon père. Et depuis peu, des cellules photoélectriques…

Il m'a dédié un regard plein de reconnaissance. (Le système ingénieux des cellules photoélectriques : c'est moi.)

– Le passage du wagon met en action les bruits et les mouvements mécaniques.

J'ai vu alors papa s'écarter légèrement, attendre un instant et avancer la jambe…

– Haaaa !!!

Chute d'une tête décapitée sous le nez de l'agent artistique.

– Par ici… a continué, stoïque, mon père qui jubilait intérieurement.

(Bon comédien, finalement.)

Les rails dessinaient une nouvelle courbe. Le faisceau de la lampe révélait des pieuvres aux tentacules gluants, des squelettes pendant, des doigts grouillant et des taches de sang. Et la fameuse sorcière aux yeux rouges.

– Comment a-t-elle pu ?… disait le réalisateur.

– Où a-t-elle pu ?… disait l'agent.

Pourquoi ?… je me disais.

La sorcière n'était évidemment pas dans le coup.

Nous avons suivi la crémaillère qui tracte les wagonnets jusqu'à l'étage. Aucune trace. Aucun indice. Nous avons fait exactement le même parcours qu'Audrey Sollen. Nous sommes ressortis sur le balcon et nous sommes redescendus par la rampe inclinée.

– Le gorille ? j'ai questionné.

– Il n'était pas prévu dans le scénario, a dit le réalisateur. J'ai été surpris de le voir quand elle est apparue au balcon. Mais finalement ça m'a semblé pas mal. J'ai laissé tourner les caméras.

Mon père m'a regardée. L'agent de l'actrice a toussé.

– Je crois que c'était une idée d'Audrey…

– Quoi ?

– Une façon de rendre la scène plus mouvementée. Elle a dû l'improviser au dernier moment.

– Mais… avec qui ?

– Regardez !

Mon père se relevait, une émeraude au creux de la paume.

– Sa boucle d'oreille ! a dit l'agent.

Nous sommes ressortis par la porte de derrière.

Dans l'accroche de la boucle, l'ongle de mon père désignait de longs poils acajou.

– Pas les cheveux d'Audrey ! a fait l'agent artistique.

– Non, les poils synthétiques du gorille.

On était penchés tous les cinq sur le bijou. (Y compris Dumpy qui pourtant ne pigeait rien.)

– Il y a aussi… regardez bien…

Comme des éclats de rubis sur l'émeraude.

– Du sang ? a dit quelqu'un.

De qui ? Audrey Sollen ? Son agresseur ? Dracula ?

– Il faut prévenir la police !

Ils sont tous partis. Tellement affolés qu'ils ont oublié la boucle !

J'ai présenté la boucle d'oreille sous la truffe de mon tigre.

– Allez Dumpy !… Cherche !

Il a sauté de mes bras pour partir comme une flèche.

– Oui Dumpy ! Oui !…

Il a contourné le manège.

Je le suivais en courant.

Il filait, nez au sol… revenait devant la façade.

– Oui mon Dumpy !

Et il a grimpé dans un wagonnet pour s'y rouler en boule.

– Oh non, écoute !…

6

Début d'enquête

Guillaume est entré avec un sachet de churros rapportés de la foire. Il était tard et il avait fini son service au pied de la grande roue. Puis Arthur a frappé à la porte de ma caravane. Il venait avec un long paquet. Un autre dessert ? Un éclair géant ? Un panini d'un mètre ?

– Tu n'as quand même pas pris une des carabines du stand de ton père ? a fait Guillaume.

– Mais non !

Arthur dépliait l'emballage.

– Clém', d'ici tu peux apercevoir la caravane de Sylvain Delorme. Son mystérieux visiteur…

– L'homme aux cigarettes ?

– Oui. Celui qui lâche ses mégots au fond des bouteilles de bière. Avec ça, tu pourras…

Il exhibait une longue-vue.

Il l'a installée sur son trépied devant la fenêtre en soulevant le rideau.

On a frappé. C'était Vanessa. La bande était au complet.

La pizza dans le four grésillait. Une quatre-saisons commandée au marchand de la foire. Je suis allée la retirer. On se l'est partagée en découpant la pâte avec un couteau en plastique. Dumpy Dunce a grogné.

– Il veut son biberon.

Entre deux succions de tigre du Bengale et deux noyaux d'olives de pizza, je leur ai raconté l'inspection du manège en compagnie du réalisateur et de l'agent artistique.

– La boucle d'oreille, je l'ai remise aux flics. Ils vont l'envoyer au labo pour y prélever l'ADN des traces de sang.

– Tu crois qu'ils vont nous faire une prise de sang à tous ?

(Guillaume a toujours eu peur des piqûres.)

– Ça se pourrait bien. En tout cas aux suspects.

– Moi j'ai un alibi : j'étais à la caisse de la grande roue !

– Et moi sur le stand de tir !

(Les garçons et leur courage à deux balles !)

– Rassurez-vous, on a tous un alibi.

Les hommes du SRPJ avaient eux aussi inspecté le manège de mon père. Sans résultat. Ils évoquaient même l'hypothèse d'une fugue. Une fugue en plein tournage ?

Nous, nous prenions les choses au sérieux. Parce que nous nous souvenions de ce type qui rôdait, le matin même, autour de la caravane de l'actrice, et qui nous avait faussé compagnie avant qu'on puisse l'approcher. Et puis de cet autre personnage, invisible celui-là, qui fumait et buvait de la bière chez Sylvain Delorme et se cachait dans un placard de sa caravane quand des ados venaient demander un autographe.

– Vous croyez qu'elle est morte ?

La question m'a glacé le sang.

– Assassinée dans notre train fantôme ?

Comment l'assassin aurait-il enlevé le corps ? Par l'arrière du manège ? Par la petite porte qui n'avait pas été fermée à clé afin de laisser travailler la maquilleuse et la costumière pour les raccords ? Mais pourquoi la tuer à ce moment précis ?

– Pratiquement sous les yeux des caméras ! a fait Guillaume.

C'est ça qui était important.

Sous les yeux des caméras.

Nous l'ignorions encore.

– Le gorille ? a demandé Vanessa.

– Petit supplément improvisé, j'ai dit. Seule son agent était au courant.

– Son agent… et celui qui était sous le déguisement ! a fait remarquer Arthur.

– C'est un éclairagiste qui était dans la confidence et qui devait jouer le rôle du gorille. Mais…

– Mais quoi ?

– Au dernier moment il s'est dégonflé. Les flics l'ont interrogé tout à l'heure. Avant le tournage, il a refusé de jouer le jeu.

– La glu !

– Alors ?… Qui se cachait sous les poils du gorille ?

Dumpy Dunce a émis un petit cri de plaisir.

Il y avait une chose que je voulais faire. Interroger le site internet d'Audrey Sollen. Histoire d'en savoir un peu plus sur ses amours, sa carrière, ses projets… et surtout son passé.

7

Internet à la rescousse

Sur les amours d'Audrey Sollen, Vanessa pouvait nous renseigner. Elle les avait lues en long et en travers.

– Si vous saviez !...

Nous n'allions pas tarder à savoir : une succession de jeunes comédiens, beaux et prometteurs, que l'actrice larguait régulièrement dès qu'ils menaçaient de devenir plus célèbres qu'elle. Il y avait eu aussi un danseur de l'Opéra, un banquier, quelques chanteurs de rap, deux présentateurs télé, un coureur de F1, une poignée de tennismen et le dernier en date : un trois-quarts du Quinze de France.

– Il lui fallait bien tout ça ! a commenté Vanessa.

– Même un « trois-quarts » ? j'ai demandé. C'est suffisant ?

(Le rugby et moi !)

Les garçons du bahut m'ont plaquée en touche du regard.

Nous étions dans la cour de récré, à attendre d'entrer en cours de maths, et personne ne paniquait à la perspective de l'interro. Tous étaient suspendus aux lèvres de Vanessa qui racontait la vie sentimentale trépidante d'Audrey Sollen.

– C'est fini depuis longtemps.

L'héroïne de *Soleil de femme* n'affichait plus aucun boyfriend depuis plusieurs semaines.

– Plusieurs semaines ! a fait un redoublant d'une autre classe. Quel exploit !

Quelques ricanements.

– Même pas Sylvain Delorme ? a glissé Guillaume.

Je l'ai dévisagé. Une idée. Et si, dans la caravane de l'acteur, quand on s'y était présentés la veille, ce n'était pas « quelqu'un » qui était caché dans le placard, mais « quelqu'une » ?

– Elle ?

– Audrey Sollen ! Oui ! Qui sortait avec Delorme. Mais qui voulait en finir. Et hier matin, justement, elle venait dans sa caravane pour rompre !

Dispute ? Jalousie ? Delorme, fou de colère, aurait enlevé l'actrice l'après-midi même pendant son tour de train fantôme ?

Ça ne collait pas. L'actrice ne fumait pas.

Et la sonnerie nous a appelés vers notre destin mathématique.

Un destin rempli d'énigmes et d'inconnues.

Énigmes du genre : $(a - b)^2$.

Inconnues au féminin à retrouver dans des équations du genre :

« Si $4x^2 + 36x - 24 = 120$… »

Le prof venait de nous distribuer le sujet. Il avait regagné son bureau-perchoir sur l'estrade, d'où il nous toisait d'un œil de vautour.

L'avantage, quand on est enfant de forains, c'est qu'on n'a pas de lycée attitré. À cause des fréquents déplacements qu'on effectue tout au long de l'année pour suivre les lieux de foires. On change de régions, de villes, parfois même de pays puisqu'on va souvent en Suisse, en

Belgique, et qu'une fois on est allés jusqu'au Canada. (C'est d'ailleurs là que j'ai rencontré Sébastien... Une épopée !) Donc pas de profs réguliers. Le pied !

Il nous observait, silencieux charognard face aux inoffensives carcasses de matheux à l'agonie que nous étions.

$(a - b)^2$... ?

J'entendais dans mon dos la détresse de Vanessa :

– La glu !...

Et sur ma feuille blanche, à la place de la résolution de l'énigme mathématique, est venu danser le bleuté de l'écran de mon ordinateur où, la veille au soir, j'avais pu lire le résumé des principaux films d'Audrey Sollen. Le service de presse de l'actrice avait bien fait les choses. Tous les renseignements destinés à ses fans figuraient sur son site. Au fond de ma caravane, entourée de Vanessa, Guillaume et Arthur (je ne compte pas Dumpy Dunce : il pionçait), j'avais joué de l'index sur le pavé digital de mon ordinateur portable pour suivre le chemin chaotique de l'actrice.

Pas facile de devenir star. (Presque aussi dur que de devenir matheuse.) Beaucoup de navets, des petits rôles minables et mal payés avant d'atteindre la notoriété. Toutes les « panouilles » obligées d'un début de carrière. Durant des années, la vie d'Audrey Sollen n'avait été que galères de castings, croche-pattes des actrices concurrentes et fausses promesses de producteurs véreux…

Arthur, évidemment, avait voulu pianoter sur le clavier pour chercher des photos.

Le miel.

En revanche, je n'étais pas arrivée à pirater sa messagerie électronique. Malgré une heure d'efforts et toutes mes prodigieuses connaissances en informatique, impossible de pénétrer dans sa « boîte aux lettres ». Les copains, totalement largués, m'avaient laissée seule me débattre dans les codes, les manipulations de données centrales et les réseaux de connexions.

La glu !

8

Perquisition

La demande de rançon, je l'ai apprise en même temps que la France entière, au journal de treize heures. Je déjeunais dans la caravane de mes parents. (Le régime pizzas réchauffées au four, ça va cinq minutes.) Le présentateur a annoncé le chiffre : un million d'euros.

Les ravisseurs ne s'étaient pas adressés à la famille d'Audrey Sollen, ni à aucun de ses proches... mais à la chaîne de télé. Une première ! Le message était clair : si la chaîne voulait continuer à diffuser *Soleil de femme*, à réunir son lot de téléspectateurs et engranger les recettes publicitaires énormes, elle devait payer.

– Pas idiot... a commenté ma mère.

En même temps, les ravisseurs prenaient en otage les fans du feuilleton. Le message leur était aussi adressé, par contrecoup. « Si vous voulez revoir votre héroïne, si vous voulez apprendre la suite de ses aventures : obligez la télé à payer ! »

– Vraiment pas idiot…

Le présentateur est revenu sur l'enlèvement en diffusant des images. Les premières séquences du film. On voyait le train fantôme, Audrey Sollen dans le wagon, papa lui prenant son ticket.

– C'est moi ! C'est moi !

(Un vrai môme.)

Ma mère lui a resservi une louche de purée en l'éclaboussant. Il ne l'a même pas senti. Dumpy Dunce a tenté d'en lécher des traces par terre.

– Et maintenant, regardez bien le demi-tour face caméra !

(Il n'en pouvait plus ! Ébloui par sa propre image.)

On rigolait, toutes les deux, avec ma mère. Et Dumpy semblait aimer.

Le reportage a montré ensuite le passage de l'actrice sur le balcon avec le gorille dans son dos… et enfin le retour du wagon vide.

Certains plans trop lointains ne permettaient pas de distinguer les détails. Comme le cadrage de départ, très large, qui embrassait la façade du train fantôme et les figurants jouant les badauds. Sur d'autres, au contraire, on reconnaissait les doigts abîmés de mon père, les éclats de peinture du vieux wagonnet, et les boucles d'oreilles d'Audrey Sollen. Elle les avait encore toutes les deux.

J'ai fini ma purée à toute vitesse, sans toucher au boudin. Les autres avaient-ils eux aussi suivi le reportage ? On avait rendez-vous.

J'ai laissé Dumpy Dunce à mes parents.

Sur la caravane de l'actrice, les scellés étaient posés.

– Les keufs sont déjà passés.

Guillaume, bricoleur de génie, a réussi à les décoller sans les esquinter. Il a même ouvert la serrure en douceur.

Je suis entrée la première. Vanessa me suivait. Puis Guillaume. (Arthur, comme d'habitude, mangeait à la cantine.)

Tout de suite un parfum aux effluves de roses. Des tissus couleur pastel. Peu de choses. Le strict minimum. Dans la penderie, quelques robes de soirée, trois pulls, des pantalons aux coupes diverses : jodhpurs, droit, cigarette, tulipe, trompette.

La kitchenette : nickel. Les stars ne cuisinent pas. Juste une cafetière électrique et une tasse sale.

Le lit était défait. J'ai ouvert un tiroir rempli de collants et de sous-vêtements. Guillaume a maté en douce. J'ai refermé.

Vanessa farfouillait dans des documents. Contrats d'engagement, projets de tournées de promotion, rendez-vous pour des interviews, sollicitations pour différents galas, correspondance de fans…

J'ai empoché un paquet de lettres, Vanessa un autre.

La production avait fait tirer dans la caravane une ligne téléphonique pour l'ordinateur. Je l'ai allumé. Aucun fax n'était arrivé depuis quarante-huit heures. Le dernier datait de trois jours. C'était l'agent de l'actrice, depuis son bureau de Paris, qui lui annonçait son arrivée avec un projet de film au Brésil.

J'ai relevé les caractéristiques du disque dur et la configuration de son modem.

– Qu'est-ce que tu fous ?

– Laisse faire, Guillaume. Je m'occupe !

J'ai noté le code du serveur, sa date de mise en exploitation.

Je savais ce que j'en ferais.

9

Courrier de fans

Pendant les cours de l'après-midi, je n'ai pas tout suivi. J'avais emporté dans mon sac les dernières lettres reçues par l'actrice. J'ai commencé à les lire en histoire-géo, puis en français. (Biographie de Flaubert, Rouen oblige !) J'ai continué pendant le cours de gym. (Pas simple, de lire en courant.)

La plupart de ses correspondants demandaient à Audrey Sollen de leur raconter sa vie, sa maison, ses habitudes, ce qu'elle aimait et ce qu'elle détestait. On l'interrogeait sur son signe du zodiaque, sur ses préférences en matière de cuisine et d'hommes. Un admirateur voulait connaître sa confiture préférée pour lui en envoyer des pots. Un autre, la marque de son parfum et celle de sa voiture. Peut-être souhaitait-il lui offrir un flacon et des roues de rechange ?

Sur certaines lettres : des petits dessins. Naïfs pour la plupart. Des photos. On demandait à la star d'embrasser la photo en y laissant l'empreinte de son rouge à lèvres. Des fétichistes ! Un téléphage faisait des remarques sur l'évolution de son personnage dans le feuilleton, contestait certaines de ses répliques, proposait des corrections de dialogues. Il critiquait des traits de caractère « psychologiquement faux » dans telle ou telle scène, avant d'émettre sa propre idée quant à la suite du scénario.

Le scénario ! Beaucoup de correspondants se sentaient des velléités de scénaristes. Ils voulaient apporter leurs modifications personnelles au feuilleton. L'un d'entre eux prévoyait pour épilogue la mort mystérieuse du personnage. Grandiose, inoubliable, romantique. Une mort violente « digne d'une vraie héroïne ».

Des illuminés !

Presque tous finissaient, en bas de la page, par demander l'actrice en mariage…

La dernière lettre, je l'ai repliée sur la sonnerie, à la fin d'un exposé plutôt gonflant d'un grand boutonneux sur la reproduction des baleines.

– La glu !... concluait Vanessa en faisant racler sa chaise.

On a retrouvé les garçons à la Brasserie du Centre. J'ai étalé mes lettres sur la table entre nos cafés crème. Vanessa y a mêlé les siennes.

– Elle les rend fous !

Toutes étaient signées par des hommes. Aucune lettre de femme.

– C'était à prévoir... a murmuré Arthur.

(Je me suis demandé alors s'il n'avait pas écrit, lui aussi, à Audrey Sollen. Comme des millions d'autres. Il venait d'avoir un mouvement de recul au moment où j'avais posé le paquet de lettres sur la table de la brasserie. Craignait-il qu'on tombe sur une des siennes ?)

Guillaume passait en revue chaque signature.

– Vous avez remarqué ?

– Oui, j'ai fait, certaines sont anonymes. Classique !

– Non non ! Autre chose. Regardez celles-ci... et là, encore... la même signature apparaît souvent...

C'était vrai. Un fan plus assidu que les autres. Ses lettres revenaient régulièrement. Et chacune était plus enflammée que la précédente. Le type voulait tout savoir de l'actrice (et il en savait déjà beaucoup).

– Il signe : « Le Faucon ».

– Qu'est-ce que ça veut dire ?

On a demandé l'addition.

« Le Faucon ». Pourquoi ?

Arthur secouait la tête.

– Et cette obsession de certains à vouloir écrire la suite de *Soleil de femme* !...

– Ma grand-mère en est intoxiquée, a fait Guillaume. Elle regarde chaque jeudi. Pile à l'heure ! Veut même pas rater le générique ! Elle débranche le téléphone quand ça passe !

Comme treize millions de téléspectateurs qui attendaient que le personnage d'Audrey Sollen fasse ceci ou ne fasse pas cela, tombe amoureuse de celui-ci et pas de celui-là, mange tel menu au restaurant, boive tel vin, dorme à telle heure, rompe avec celui-là et épouse celui-ci...

– De là à imaginer la vie du personnage... jusqu'à sa mort.

On avait sorti nos pièces pour payer. Arthur a empoché la monnaie (aussi rapiat que son père !).

– Ce type qui a inventé la fin du feuilleton. En ne prévoyant rien de moins que la mort d'Audrey Sollen...

– La mort du *personnage* interprété par Audrey Sollen ! a corrigé Vanessa.

On s'est regardés. Un fan trop fanatique ? Un téléspectateur qui mélange la fiction et la réalité, tellement pris par l'histoire qu'il aurait fait en sorte que la réalité colle à sa vision de la fiction.

– Et qu'il l'aurait ?...

– Tuée lui-même ?

On n'a pas eu le temps de réfléchir. Vanessa m'attrapait le coude.

– Regarde !...

Sylvain Delorme sortait du porche d'un hôtel avec un homme. Leur attitude semblait bizarre. Comme s'ils fuyaient quelque chose... ou quelqu'un. Ils lançaient de fréquents regards derrière eux.

Nous les avons suivis dans la rue de la Pie. Celle où a vécu Corneille. (Et je me demande aujourd'hui si le prof de français, en nous apprenant cela, ne nous avait pas vannés. Rue de la Pie... Corneille... Une de ses blagues favorites ?)

Les deux hommes ont traversé la place du Vieux-Marché.

Nous suivions toujours.

Place de la Pucelle.

Rue aux Ours.

Leur cavale nous entraînait vers la cathédrale. Ils ont longé l'archevêché, pris la direction de l'église Saint-Maclou. Toujours sur le qui-vive, on aurait dit.

Ils ont soudain accéléré le pas et zigzagué dans un dédale de ruelles. Nous avaient-ils repérés ? Pourquoi avaient-ils peur ?

On a fini par les perdre.

On est restés idiots tous les quatre debout sur le trottoir.

– Profitons-en pour aller visiter sa caravane !

On a franchi le fleuve. Une péniche fendait l'eau grise de son étrave joufflue. À l'intérieur de la timonerie, on pouvait apercevoir le batelier qui tenait la barre d'une main. Les petits rideaux étaient ouverts sur une lampe et sur des pots de fleurs alignés le long des hublots.

Guillaume est parvenu à forcer la serrure. (Aucune ne lui résiste, à celui-là... Des serrures, je parle !)

On a retrouvé l'odeur du parfum de Sylvain Delorme. Mélangée à une autre, plus musquée. Les bouteilles de bière avaient été jetées à la poubelle avec les mégots. Arthur les a examinés.

– 1664... Dunhill paquet rouge...

(Moi je n'y connais rien en bière, ni en clopes.)

L'intérieur était rangé. Ce n'était plus le bazar de la veille.

Sylvain Delorme buvait du lait de soja. (Plusieurs packs dans la kitchenette.) Et du champagne. (Trois bouteilles dans le frigo.) Il mangeait bio. (Des yaourts aux airelles.)

Pas mal de bouquins sur les étagères en acajou. Guillaume a parcouru les titres. Pas des romans d'aventure. Plutôt littéraires. Des auteurs que je ne connais pas.

– Regardez ! Il porte des talonnettes !

Dans le placard, ses chaussures. Toutes méticuleusement cirées, avec des talonnettes en cuir au fond. Ça lui en a foutu un coup, à Vanessa.

Fallait le reconnaître, Sylvain Delorme n'avait pas le gabarit de Depardieu.

Il possédait des écharpes en cachemire. Blanches. Les rayons de sa penderie en étaient chargés. Des costumes de marque et des chemises à col italien. Vanessa y a passé une main rêveuse, comme si elle caressait la peau de l'acteur. Je l'ai même surprise y fourrer le nez et respirer à pleins poumons.

Dans un tiroir, deux chevalières en or massif. Un bloc de papier à lettres et des stylos gravés à ses initiales. Cadeaux d'admiratrices ? Pas d'agenda.

– Monsieur s'occupe de son corps…

Près du lavabo, une ribambelle de lotions. Pour la peau du visage, du corps, des mains, des pieds. Contre les rides, les cernes, le vieillissement, l'assèchement, l'affaissement. De jour et de nuit.

Et puis des flacons de parfum. *Charme du Soir.*

Vanessa a noté la marque. J'étais sûre qu'elle en achèterait.

– Normal, pour un acteur ! a-t-elle jeté. Son corps, c'est son outil de travail !

On est ressortis. On n'était guère plus avancés.

10

Interrogatoire

Dans la caravane, un lieutenant de police judiciaire était assis face à mon père et ma mère.

– Lieutenant Vaug ! a-t-il dit en me tendant la main.

Une poigne sèche et virile qu'il avait dû mettre au point pour impressionner ses interlocuteurs. Il finissait de questionner mes parents. Il avait déjà interrogé les autres forains. Il n'avait pas l'air plus avancé, lui non plus.

– La peau de gorille, vous l'entreposez où, d'habitude ?

– Dans le manège, a répondu mon père.

– Quelle taille ?

– La mienne. Un petit 50.

Ma mère a haussé les sourcils. (Elle n'a jamais pu supporter de voir mon père occuper ce poste débile, transpirant sous le masque, à chatouiller des ados terrorisés.)

– On ne l'a pas encore retrouvée…

Le lieutenant lançait des regards inquisiteurs dans les coins de la caravane. J'avais compris. Dans sa tête de flic, les forains étaient les premiers suspects. Une cible de choix.

– Vous étiez où, au moment du ?…

Mon père était à la caisse du manège. Facile à vérifier, il y avait des témoins. Ma mère, elle, était ici, dans la caravane, seule.

Et moi…

Vaug a braqué son regard dans le mien.

– Moi j'étais sur place, au milieu de l'équipe technique.

– Avec votre… animal ?

Il n'osait pas pointer le doigt vers Dumpy.

– Bien sûr ! j'ai fait. Le matin, on avait tourné une scène avec Sylvain Delorme.

Ça ne l'impressionnait pas. Il ne regardait pas la télé. (Sauf peut-être le vendredi, pour le polar du soir.) Son regard s'est fait plus appuyé. M'imaginait-il en train de kidnapper Audrey Sollen ?

– Vous devez connaître l'intérieur du train fantôme comme votre poche.

Mais oui ! Il l'imaginait !

– Il y fait sombre, a-t-il continué. Pas facile. Doit falloir être habitué.

Il s'est tourné vers ma mère. Le déguisement de gorille était un peu grand pour moi. Mais pas pour elle.

Elle avait pigé.

– Vous ne pensez pas que ?...

– Vous n'avez pas d'alibi, madame. Qu'est-ce qui me prouve qu'au moment de l'enlèvement, vous étiez réellement ici, seule ? Je vous demanderai de ne pas quitter les lieux avant la fin de l'enquête.

Ben tiens !

– De toute façon, la foire dure encore deux semaines, a dit mon père.

Mes parents ont quitté la caravane pour aller bosser. Chacun vers son manège. Mon père, évidemment, m'a demandé de le rejoindre pour faire le fantôme. On n'avait plus de déguisement de gorille, mais des draps, ça on en avait. Plein les armoires ! Alors... deux trous au bon endroit et je ferais un fantôme tout à fait acceptable.

Ma mère a râlé. Pour la forme. Elle a horreur que je me prête à ces pitreries.

J'ai dit que j'avais du travail mais que peut-être, après, un petit moment...

J'avais mon idée

Quand ils sont partis, j'ai pris Dumpy sur mes genoux et j'ai allumé la télé. Les flashes concernant l'enlèvement se succédaient. Tous les animateurs vedettes de la chaîne venaient parler de l'actrice. Le producteur de *Soleil de femme* occupait l'écran. Puis le responsable de la fiction. Puis le réalisateur. Puis les partenaires d'Audrey Sollen...

Certaines jeunes starlettes interviewées laissaient percer, sous l'émotion, une pointe de jalousie. (Je me suis dit que dans ce milieu, les coups bas ne devaient pas manquer. Les larmes de certaines étaient-elles bien sincères ?)

Les téléspectateurs commençaient à réagir. La chaîne recevait des tonnes de lettres. On enjoignait les responsables de céder aux ravisseurs. Des groupes d'admirateurs se formaient, qui faisaient pression. On organisait des cellules de crise. On pétitionnait. On se montait en associations de fans, en « comités de libération ». Des cars de la France entière étaient montés à Paris. Les fidèles du feuilleton se rassemblaient devant l'immeuble de la chaîne en agitant des banderoles et en criant des slogans.

« Libérez Audrey Sollen ! »...

« Rendez-nous notre héroïne ! »...

« Que vive *Soleil de femme* ! »...

Certains avaient envoyé des chèques.

– Tu parles ! j'ai lancé à Dumpy.

J'ai fait le calcul. (Mon prof de maths n'aurait pas été impressionné, la multiplication était simple.) Si chaque téléspectateur envoyait un euro... ça en faisait treize millions à l'arrivée. Treize fois plus que la rançon demandée !

– La chaîne n'aurait même pas à débourser un cent !

Il y avait eu plusieurs détails auxquels j'aurais dû être attentive, ce soir-là, devant l'écran de télé.

Mais je n'ai pas fait attention, sur le coup.

Je suis allée « faire le fantôme ».

11

Le « Faucon »

Beaucoup de monde sur les manèges. Le Pirat' était plein de cris, les autos tamponneuses pleines d'étincelles et de chocs. La grande roue, majestueuse dans la nuit, enroulait ses cercles de nacelles dans le ciel. Les lumières se reflétaient dans l'eau de la Seine.

En face, sur l'autre rive, la cathédrale pointait sa flèche vers les étoiles. Le pont Boildieu était lui aussi décoré d'illuminations. Des guirlandes d'ampoules dorées tout le long de ses tabliers.

J'ai passé le drap. Mon père a découpé deux trous aux ciseaux devant mes yeux. (Il a failli m'éborgner !) Et je suis entrée dans le manège.

J'ai attendu dans l'obscurité pour choisir mon wagon...

Un wagon de garçons !

J'aime assez.

J'ai alors sauté à l'arrière et me suis agrippée au dossier. Il faut faire ça en douceur et avec souplesse pour que les occupants ne s'aperçoivent de rien.

Le wagon roulait. Les clients se bouchaient les yeux.

La crémaillère nous a fait grimper à l'étage, et une fois sur le balcon je me suis mise à les chatouiller dans la nuque.

Hurlements.

Par les trous du drap j'observais la foule en bas. À chaque passage du wagonnet sur le balcon. Les gens à l'extérieur du manège levaient la tête vers les portes qui s'ouvraient, et souvent ils tendaient le doigt en découvrant le fantôme accroché derrière le wagon. Les visiteurs assis sur la banquette ne m'avaient pas encore vue. Un long cri enregistré s'échappait alors des enceintes.

À chaque tour.

Je grattais des cous, pinçais des joues, tirais des oreilles… et surveillais les badauds du coin de mon œil de fantôme.

Qu'est-ce que j'espérais apercevoir ? L'homme au pantalon trop court ?

Devant le Dragnet Flame de ma mère, là-bas au bout, des groupes de jeunes faisaient la queue. Je distinguais aussi Arthur, dans le stand de tir de son père, distribuant des ours en peluche aux bons tireurs. Plus loin, Guillaume ramassait les jetons avant de rabaisser la barre de sécurité sur chaque nacelle de la grande roue. Et entre le camion du confiseur et la caravane de la vieille Andréa, Vanessa balançait son boniment pour inviter les clients à entrer assister au « spectacle ébouriffant » du Mur de la Mort.

Et moi je chatouillais, je gratouillais, je tiraillais…

Et je me suis posé la question. Un criminel revient toujours sur les lieux de son crime. Aurait-il eu l'audace, celui-là, de monter dans un wagon pour faire un tour ? N'était-ce pas son oreille, là, à cet instant précis, que je…

Je n'ai remarqué personne. Rien d'inhabituel. Ni à l'extérieur, ni à l'intérieur. Et je savais que je ne pouvais pas retrouver le wagonnet dans lequel était montée Audrey Sollen : il avait été démonté et envoyé au laboratoire.

J'ai inventé une surcharge de travail sur Flaubert pour quitter ma défroque de fantôme avant dix heures. Mon père ne pouvait qu'accepter. (Pensez : Flaubert !...)

Sitôt dans ma caravane, j'ai rallumé le radiateur électrique. Dumpy Dunce m'a sauté aux mollets. Je lui ai autorisé quelques mordillements avant d'ouvrir mon ordinateur portable.

Nouvelle tentative pour pénétrer dans la correspondance e-mail d'Audrey Sollen. Cette fois j'ai changé de tactique. J'ai détourné le système d'exploitation en partant des données du disque dur de son ordinateur et des caractéristiques de son modem.

Et au bout d'une demi-heure : bingo !

Mon écran affichait : « Messages reçus ».

Le courrier électronique était plus concis que les lettres. Normal. On est plus sobre au clavier qu'au stylo. Mais le fond ne variait pas. C'était toujours les mêmes questions de fans, les mêmes propositions, les mêmes confidences. Et la même signature qui revenait au cours des dernières semaines.

« Le Faucon ».

Bavard, l'oiseau saturait la messagerie. Des questions, encore et toujours. Il voulait tout savoir de l'actrice. Certains messages reprenaient ce qu'il lui avait déjà demandé dans ses lettres. J'en ai conclu qu'Audrey Sollen n'y avait pas répondu.

Je suis entrée dans « Messages envoyés ».

Le style de la star restait plutôt minimaliste. Quelques lignes à chaque fois. Elle n'en disait pas trop sur sa vie, ne révélant que des généralités. J'imaginais le « Faucon » impatient et déçu. Sans doute en voulait-il plus.

Était-ce pour cela qu'il l'avait enlevée ?

Je me suis levée. Dumpy s'était endormi. À l'extérieur, le camp était silencieux dans la nuit noire. J'ai mis l'œil à la longue-vue d'Arthur braquée sur la caravane de Sylvain Delorme. Rien. Les rideaux étaient tirés.

Seule la caravane de Vanessa était éclairée. Elle avait terminé son « coup de casque » sur l'estrade du Mur de la Mort. Ou alors elle s'était servie elle aussi du vieux Gustave pour rentrer se coucher. (Toujours un bon argument, la lecture de la mère Bovary. Les parents n'y résistent pas, en général.)

J'ai fait chauffer de l'eau pour me préparer un cappuccino en sachet. (Rien à voir avec ceux de ma mère. Pas de mousse, aucune épaisseur ouatée contre le palais, ni aucune paillette de chocolat croquant sous la dent.)

Je suis revenue au clavier. J'ai pianoté l'adresse de Vanessa et j'ai écrit :

Tu ne dors pas ? E-mail Sollen sans intérêt. Le même « Faucon » toujours aussi assidu.

La réponse a été immédiate :

Non. Je bosse mes équations. $(a - b)^2$ *?... Moi aussi il m'intrigue, ce « Faucon ». Qui est-il ? Tout à l'heure sur la foire j'ai guetté. Rien. Pas vu l'homme de l'hôtel. Pas repéré non plus de grand maigre au pantalon trop court. Tu crois que ça pourrait être lui le kidnappeur ?*

Sans même calculer le décalage horaire, j'ai rentré une autre adresse.

Seb-wapiti@chicoutimi.com.

Je savais que là-bas, dans la neige et le froid, mon correspondant m'aiderait.

« Le Faucon », ça t'inspire quoi ? Bises. Clém'.

Sébastien vit avec ses parents dans la ville de Chicoutimi, au bord de la rivière Saguenay, près du lac Saint-Jean au nord du Canada. Un pays de neige et de vent, de rires et de bons copains, de caribous et de wapitis. (Et pour moi : de cœur qui bat…)

J'ai connu Séb lors de notre voyage au Québec, l'hiver où nous y sommes allés pour le grand rassemblement des forains francophones. Pendant notre séjour, le lac était gelé, on y faisait du patin à glace et des courses de scooters des neiges.

Je me rappelle : certaines courses se faisaient de nuit, à la lumière des projecteurs, je conduisais un scooter fluo et Sébastien me battait à chaque course. Quelquefois il m'emmenait dans les forêts voir les « cabanes à sucre » où au printemps, avec son père, il chauffe le « jus » des érables pour en faire du sirop. On avait aperçu des caribous entre les troncs. (Et moi, assise à l'arrière sur la selle en cuir du gros scooter des neiges, j'enlaçais mon pilote pour ne pas tomber dans les virages. À pleins bras, les yeux pleurant dans le vent tout en riant, le bout de mon nez dans le cou tiède de Séb.)

Lors des séances de patin à glace sur le lac, il me prenait la main et nous essayions d'accorder nos pas. Gauche... droite... en allongeant la foulée et en balançant les épaules. Séb avait même tenté de me lancer en l'air pour une vrille artistique qui s'était terminée les fesses sur la glace et mes lèvres contre les siennes...

J'ai surveillé l'écran.

Étrange correspondance. Je venais de dialoguer avec Vanessa à moins de cinquante mètres... et maintenant j'envoyais un message par-delà l'océan, à plus de cinq mille kilomètres.

Et Seb-wapiti@chicoutimi.com me répondait !

Température ici : – 24°. Neige 40 cm. Lac gelé. Patin droit scooter cassé. Il est 2 h 00 de l'après-midi. Pars pour le lycée. Cours de gym et géo.

J'avais oublié le décalage. Heureusement c'était dans le bon sens, Séb ne dormait pas. J'imaginais les forêts d'érables, là-bas, dans un soleil métal brillant sur la neige, la Saguenay prise dans les glaces, la fourrure des wapitis craquant de givre et un scooter des neiges couché sur le flanc au fond du garage.

Il concluait son message :

« Le Faucon »... rapport avec la vision ? Un œil perçant qui voit tout ? Bisous de caribou.

J'ai déconnecté.

J'étais fatiguée. Je me suis allongée sur mon lit en allumant la télé. De nouveau des flashes d'info concernant l'enlèvement. Les mêmes images qu'au journal de treize heures. Les mêmes témoignages et commentaires.

Et je l'ai reconnu ! En gros plan. Le scénariste du feuilleton.

C'était l'homme qui était sorti de l'hôtel avec Sylvain Delorme.

12

Reconstitution

La reconstitution a eu lieu le lendemain matin, dans le train fantôme, avec toute l'équipe du téléfilm.

Le lieutenant Vaug souhaitait que chacun refasse les mêmes gestes que le jour de l'enlèvement.

Chacun a donc repris sa place. La femme du confiseur devait jouer le rôle d'Audrey Sollen et l'oncle de Vanessa a été choisi pour se glisser dans la peau du gorille.

Façon de parler, puisque de peau il n'y avait plus.

J'avais reçu une convocation officielle. Officielle ! Datée et signée ! (Je la présenterais le lendemain au lycée pour expliquer mon absence. Plutôt génial. Vanessa, Guillaume et Arthur n'ont pas eu cette chance.)

– Allez-y !

La femme du confiseur s'est installée dans un wagon et Vaug a été très attentif pendant que chacun répétait l'action. Mon père a pris le ticket avant de mettre en marche le moteur.

L'oncle de Vanessa attendait à l'intérieur. Il s'est accroché au wagon comme je lui avais expliqué et ils sont apparus au balcon. (Ça le changeait de ses motos, l'oncle de Vanessa, ce vieux wagonnet branlant. Il était mal à l'aise.)

Rentrés à l'intérieur, ils ont ensuite mimé l'enlèvement.

Vaug a voulu refaire la scène plusieurs fois. Il s'est placé dans le manège pour suivre le wagon. J'étais là moi aussi, en tant que conseillère technique. Le rôle du gorille, je le connais parfaitement. J'indiquais les positions exactes, soulignais les erreurs et commentais les mauvaises manœuvres.

– On recommence !

L'oncle de Vanessa attrapait la femme du confiseur par le cou et l'extrayait du wagon. Elle se laissait faire.

– Mettez-y du cœur, bon sang !

(Plus à l'aise avec une 500 cm^3 qu'avec une femme entre les mains, le tonton ! D'une maladresse !...)

– Plus fort ! gueulait Vaug.

Du coup la « victime » s'est lâchée. Elle s'est mise à se débattre et à gigoter comme une furie. Le tonton s'est mangé deux ou trois baffes avant de la maîtriser. Plus quelques griffures sur les joues. (Elle a de ces ongles, la femme du confiseur !)

– Oui ! Oui ! Comme ça !...

La boucle d'oreille s'est décrochée. L'oncle de Vanessa a balancé un (faux) coup sur la tronche de la confiseuse et l'a entraînée.

– Avec fidélité ! Soyez dans l'action !

Pas facile d'avancer dans l'obscurité avec une proie à demi inconsciente... et d'éviter les embûches. L'oncle s'est pris les pieds dans les rails, puis la tête dans les toiles d'araignées, et s'est cogné à Dracula. (Mais il a bien su contourner la sorcière et son balai.)

Le lieutenant dirigeait la manœuvre tel un metteur en scène. Je pensais qu'il aurait dû prendre deux comédiens. Ça aurait favorisé le « réalisme ».

Tonton trébuchait sur la queue du requin. Râlait. Soufflait. Transpirait. Il était maintenant empêtré dans des voiles de gaz. Il s'en est sorti tant bien que mal et s'est aussitôt heurté au squelette dont les os ont fait gling gling. Une chauve-souris empaillée lui a foutu les jetons. Il a crié. Je me marrais. Puis il a donné un coup de tête dans la mygale suspendue.

Fallait voir le tableau !

Enfin il est arrivé devant la petite porte du fond.

– Vous l'ouvrez ! a ordonné Vaug.

Ça ne nous apprenait rien de plus, sinon qu'il était vraiment ardu de se trimballer un corps peu coopératif à l'intérieur d'un train fantôme. L'enlèvement d'Audrey Sollen n'avait pas dû être de tout repos.

– Sauf si le ravisseur connaissait le manège comme sa poche… a glissé Vaug.

Et il a rajouté :

– Le ravisseur… ou la ravisseuse.

Il a voulu visionner une nouvelle fois les images du tournage. Puis les rushes. Toutes les prises de vue qui ne resteraient pas au montage.

Le réalisateur et son assistant les lui ont fait défiler sur un écran de contrôle.

À la fin du visionnage, Vaug a haussé les épaules.

Je me suis approchée.

– Je peux vous parler une minute ?

L'assistant éteignait l'écran. Vaug m'a entraînée à l'écart.

Je lui ai révélé la présence de l'homme au pantalon court.

– Un admirateur à coup sûr ! a fait le lieutenant. Ce genre de fans, faut toujours s'en méfier.

Ça cogitait dans sa tête. Il s'est représenté la scène.

Et il a dit :

– Voyons voir... avant de tourner la séquence, Audrey Sollen a l'idée d'ajouter au scénario un gorille qui la chatouille... pour pimenter la scène, pour plus de romanesque... elle demande à un éclairagiste qui refuse d'assumer ce rôle imprévu...

– C'est ça.

– Que fait-elle ?

– ... ?

– Un admirateur vient lui demander un autographe…

– Notre homme au pantalon trop court ?

– Lui-même ! a hurlé Vaug. Et Audrey Sollen en profite : elle lui demande, *à lui*, s'il veut bien endosser la peau du gorille !

– Pas bête… j'ai dit.

– Évidemment, il accepte ! Fou de joie ! Et une fois dans le train fantôme, avec son idole à portée de main… son idole à sa merci… il a un réflexe irraisonné…

– Il l'enlève ! j'ai conclu.

Vaug a sorti son portable et a lancé des ordres.

– Amenez-moi la section cynophile !… Qu'on fouille les hôtels, les pensions de familles et les campings de la ville ! Je vous faxe le portrait-robot !

Le « Faucon », l'agent artistique d'Audrey Sollen le connaissait.

– Seulement sa signature ! m'a-t-elle précisé. Le courrier d'Audrey, c'est moi qui y réponds !

– Vous ?

– Vous n'imaginez pas qu'Audrey passe son temps à répondre à ses fans ! Il y en a trop ! Elle y consacrerait toutes ses journées !

– Mais lui, vous ne l'avez jamais vu ?

– Jamais.

– Vous ne savez pas qui c'est ?

Elle avait l'air désemparée.

– Ça devait arriver. Je l'avais mise en garde, pourtant. Les admirateurs trop… empressés, on sait ce que ça donne !

– … ?

– Des types complètement fascinés par leur idole ! Enfermés dans leur bulle, totalement asociaux, qui ne vivent que pour elle ! Je suis sûre que chez lui il a des posters d'Audrey, des photos, et même son parfum… Il doit utiliser les mêmes marques, manger les mêmes pâtisseries, boire la même eau minérale… vivre comme elle.

– … ?

– En général ils calquent leur existence sur celle de leur idole. La plupart sont inoffensifs. Mais parfois, certains deviennent incontrôlables !… Comme je m'en veux de ne pas l'avoir suffisamment protégée !

Quand elle a évoqué les photos, une idée m'a traversé l'esprit. J'ai cherché le photographe de plateau.

Ces photographes sont engagés par la production pour prendre des clichés du tournage et les exploiter dans les journaux lors de la promo du film. Ça a toujours beaucoup de succès, les *making of* d'un tournage. Le public en raffole.

Je l'ai trouvé dans la caravane de l'équipe technique. Il développait ses dernières photos.

– Oui bien sûr ! Elles sont là. Je m'y suis déjà penché, vous pensez bien !

J'ai écarté les photos devant moi comme un jeu de cartes. La plupart montraient Audrey Sollen avant la scène, au maquillage, avec sa coiffeuse, puis pendant les nombreuses répétitions.

Sur aucune on n'apercevait le fan au pantalon court. Pourtant, il avait bien dû approcher l'actrice à un moment donné ! Du moins si le scénario du lieutenant Vaug était le bon.

Une des photos montrait le wagon, Audrey Sollen assise, le balcon, et le gorille accroché derrière.

J'ai demandé une loupe. Au bout de la manche du déguisement, là, dépassant des poils synthétiques...

– Sa montre !

Une montre que j'avais déjà vue.

Où ? À quel poignet ?

Quand les chiens sont arrivés, une atmosphère tendue a plané sur l'équipe. La section cynophile tenait les molosses en laisse. Un machiniste est allé chercher une robe de l'actrice. Les chiens y ont posé la truffe.

Les spécialistes les avaient réunis à l'intérieur du train fantôme, devant le wagon du drame rapporté pour l'occasion. Les trois chiens ont reniflé longuement l'étoffe et sont aussitôt partis en quête d'une trace.

Leurs dresseurs les suivaient, au bout de la laisse.

Et moi aussi.

Les chiens sont ressortis du manège pour filer droit sur… l'agent de la star, la maquilleuse, le producteur.

– Il est con ce chien ! a hurlé le producteur.

13

De nouvelles surprises

À midi, Vanessa et Guillaume sont venus me rejoindre dans ma caravane. Arthur mangeait à la cantine, comme toujours. Je leur ai tout raconté : la reconstitution, la femme du confiseur et le tonton, l'agent d'Audrey Sollen qui mailait elle-même aux fans, les chiens policiers, la maquilleuse, le producteur, et la théorie du lieutenant Vaug.

– Ils fouillent tous les hôtels de la ville pour retrouver Pantalon-Trop-Court !

– Tu leur en as parlé, Clém'?

– L'agent artistique pense que c'est un admirateur fou.

– Le... « Faucon » ?

– Ça se pourrait. La façon dont il tournait autour de la caravane d'Audrey... Vaug est persuadé que c'est lui.

Guillaume restait dubitatif. Quelque chose clochait dans cette histoire. Il n'arrivait pas à comprendre quoi exactement.

J'ai distribué les paninis à la mozzarella. Dumpy Dunce en a goûté un morceau.

– Tu crois que ça mange du fromage, les tigres ?

Il ne savait pas mâcher. Il a avalé tout rond. Je suis allée lui préparer un biberon.

– Tu nous rapportes des chips, s'il te plaît, Clém'?

À chaque fois que j'allais jusqu'à la kitchenette, je laissais traîner un œil dans la longue-vue. Je ne l'avais pas déplacée, elle était toujours braquée sur la caravane de Sylvain Delorme.

– Alors ?

– Rien.

Ça l'intriguait aussi, Vanessa, cet inconnu que l'on retrouvait souvent en compagnie de l'acteur. (Et ça l'irritait. Pas plus jalouse qu'elle !)

– Tu penses que ?...

– J'en sais rien, ma vieille !

Cet inconnu qui se cachait !

Dumpy a fait son rot. Comme un vrai bébé. Et mon portable a sonné.

– Clém'?

C'était Arthur, il appelait du lycée.

– Mets la télé ! Vite ! Sur la deux !

J'ai appuyé sur la télécommande. Le journal de treize heures. Arthur, au bout du fil, m'expliquait que la brigade fluviale avait lancé une opération de dragage de la Seine.

À l'écran, on apercevait les cargos ancrés le long des quais, et sur la rive une camionnette de gendarmerie, le préfet, le lieutenant Vaug et le juge d'instruction, debout les mains dans les poches.

– Ils l'ont retrouvée ! a hurlé Arthur dans mon oreille.

Si fort que Vanessa et Guillaume l'ont entendu.

– Tu les vois ? Clém'?...

J'en avais les mains moites. Le portable collait à mon oreille. Une minute d'angoisse insoutenable.

– Tu les vois ?... Tu m'entends ?... Je te dis qu'ils l'ont retrouvée ! répétait la voix d'Arthur.

Difficile de garder les yeux rivés à l'écran où des hommes-grenouilles sortaient lentement du fleuve. Épuisés, dégoulinants, ils levaient leurs genoux pour marcher à grandes enjambées claudicantes, encombrés de leurs palmes et de leur découverte : un fardeau dégoûtant, maculé de vase et sans vie.

Ils ramenaient sur la berge une silhouette molle...

Vanessa s'est bouché les yeux. Guillaume n'était pas plus téméraire. Le corps dégoulinait d'eau, lourd et inerte dans les bras des hommes-grenouilles ruisselants.

– Clém'! a crié Vanessa sans regarder. C'est elle ?...

Le commentaire disait que, sur ordre du juge d'instruction, les hommes de la brigade fluviale avaient dragué le fleuve toute la matinée pour enfin repêcher... une peau.

– La peau du gorille ! a repris en écho la voix d'Arthur.

Vanessa a retiré ses mains et Guillaume a ouvert les yeux. Les hommes-grenouilles déposaient le déguisement sur une civière. (Visiblement, ils n'avaient pas su où le mettre.) Vaug, le juge et le préfet se sont penchés. Et c'était grotesque, cette vieille peau en toc allongée sur une civière !

J'ai coupé le son.

– L'angoisse ! a craché Guillaume qui recouvrait ses esprits en mordant à pleines dents dans un panini.

– Une trouille ! a fait Vanessa.

Avant de retourner au lycée, Guillaume a voulu vérifier quelque chose. Un détail lui trottait dans la tête, qu'il n'arrivait pas à cerner.

– J'en ai pour une minute !...

On l'a vu sortir de la caravane en courant. Vanessa m'a regardée sans comprendre. Elle a repris un milk-shake. Dumpy Dunce en voulait aussi.

– Tu crois qu'ils pourront relever des empreintes ?

– Sur la peau du gorille ? M'étonnerait ! Après son séjour dans la flotte !

Des empreintes, il devait bien y en avoir : celles de mon père et les miennes.

– Au fait, Clém'… $(a - b)^2$?

Vanessa saute souvent du coq à l'âne. C'est une de ses spécialités. Je me suis approchée de la longue-vue. J'ai lâché :

– $a^2 + b^2 - 2ab$. Enfin je crois.

Je n'en étais plus si sûre. J'observais la caravane de Sylvain Delorme et il me semblait avoir vu bouger un rideau. C'était peut-être le moment d'y aller ? Mais la silhouette de Guillaume a traversé la visée. Il revenait.

– Ah bon ? faisait Vanessa dans son milk-shake. T'es sûre ? Oh là là la glu ! Moi j'ai mis : $a - b - 2ab^2$!

Guillaume poussait la porte.

– Il manque des affaires !

– Hein ?

– Dans la caravane d'Audrey ! Dans ses placards. Vous avez bien vu comme moi qu'elle avait un pull angora bleu marine à col en V… une jupe portefeuille et un pantalon caramel à côtes de cheval ?

(Je ne le savais pas au top de la mode féminine, lui.)

– Eh ben ils ont disparu !

Vanessa m'a dévisagée. J'ai tourné la tête. La télé fonctionnait toujours sans le son. Et sur l'écran, c'était toujours le même sujet : la scripte parlait, visiblement émue, entourée du producteur et du scénariste du feuilleton. Le scénariste qui allumait une cigarette… puisée dans un paquet de Dunhill rouge.

Sylvain Delorme était dans sa caravane. Il se préparait un jus de carotte au mixer.

– Il me semble que vous en avez déjà un ! nous a-t-il dit, un peu énervé.

Nous lui avons révélé le véritable motif de notre présence. Ce n'était pas un nouvel autographe, que nous voulions, mais des explications.

– On l'a reconnu, a fait Guillaume. Hier dans les rues, avec vous… quand vous vous êtes enfuis…

– Qu'est-ce que vous racontez ?

– On sortait du lycée. Vous aviez l'air… traqués.

Delorme est resté dans le vague :

– Quand on est acteur, vous savez…

– Et puis ici même, j'ai dit, dans votre caravane, quand on est venus vous demander un autographe… il était là !

Il semblait réfléchir à toute vitesse.

– Ne mentez pas, a fait Vanessa. Il s'est caché dans la penderie quand on a frappé. Votre caravane était en désordre, il avait laissé ses mégots dans des bouteilles de bière.

– Des mégots de Dunhill rouges ! a précisé Guillaume.

Sylvain Delorme nous a fixés tous les trois dans les yeux, un long moment, comme pour mesurer notre loyauté. Puis il a baissé les bras. Au sens propre comme au figuré.

– Écoutez-moi. Je crois que je peux avoir confiance en vous. Je vais vous révéler ce que je n'ai jamais dit à personne…

Et il nous a balancé la vérité.

Une vérité terrible… pour Vanessa.

– Et alors ? disait Guillaume en haussant les épaules.

Vanessa en était toute retournée.

– Je ne vois pas ce qu'il y a de dérangeant ! j'ai fait.

L'homme aux Dunhill que nous avions vu en compagnie de Sylvain Delorme était bien le scénariste du feuilleton. Et il rendait bien visite à l'acteur, régulièrement, dans sa caravane. Dans un hôtel aussi, quelquefois. À l'abri des regards.

Ces précautions excessives n'avaient rien à voir avec l'enlèvement d'Audrey Sollen. Il s'agissait d'amour. Sylvain Delorme était homosexuel. Tout simplement.

– La glu !... a lâché Vanessa.

Guillaume l'a engueulée.

– Qu'est-ce que ça fait ? Hein ?

L'acteur s'était confié à nous à voix basse, comme s'il avait honte. Il vivait encore avec cette angoisse du jugement des autres. Il craignait d'être rejeté.

– Mais pas du tout ! avait crié Guillaume. Au contraire ! Pour un homme, aimer les hommes : moi je trouve ça très... artistique.

L'acteur avait souri. J'avais renchéri :

– Vous devriez l'annoncer, au lieu de vous cacher. Tout le monde comprendrait ! Vous pouvez bien aimer qui vous voulez ! Vos admirateurs s'en foutent, vous savez !

Ses admirateurs oui, mais ses admiratrices ?...

C'est pour ça qu'une heure après, Vanessa fronçait toujours les sourcils.

– Mais oui, évidemment qu'il peut bien aimer qui il veut ! C'est pas le problème. Je suis pas comme ça. Qu'est-ce que vous allez imaginer. Mais je pense à moi. À moi ! Vous pigez ? Maintenant je sais qu'il ne pourra plus m'aimer : moi !

14

Zoom sur la foule

Vaug avait un air de chien battu. Plus exactement de chien de chasse bredouille. Ses hommes n'avaient pas retrouvé Pantalon-Trop-Court.

– Il a pris une chambre à l'hôtel Terminus. Sous le nom de Guilbert. Le patron ne l'a pas revu depuis vingt-quatre heures.

– Des indices ?

– Rien. À part des photos d'Audrey Sollen découpées dans des magazines. Un véritable press-book ! Il y avait aussi des DVD de *Soleil de femme*. Toute la collection ! Il devait se repasser les épisodes en boucle !

Un avis de recherche avait été lancé. Vaug pensait que « Guilbert » était un faux nom : les investigations de ce côté-là ne donnaient rien.

Le lieutenant perdait patience. Est-ce qu'il fallait que je lui parle des vêtements disparus dans la caravane de l'actrice ?

J'ai passé l'après-midi à flâner entre les manèges. À regarder. À chercher. À réfléchir. Tout s'était déroulé ici. Peut-être un détail remonterait-il à la surface ? Un détail qui avait échappé à tout le monde. Juste un petit détail…

Dumpy Dunce faisait pipi tous les dix mètres. Je me suis offert une barbe à papa. J'en arrachais des lambeaux que je lui donnais. Il avait du mal à les mastiquer. Le sucre collait à ses dents et il s'en mettait plein les moustaches.

– Dumpy… mâche doucement !

Ça lui faisait faire une grimace comique. Il n'avait pas du tout l'air d'un tigre féroce au milieu de la jungle. Et chaque coup de feu du stand de tir le faisait sursauter.

Devant la façade du train fantôme, l'équipe du film repliait le matériel. Je les ai regardés faire un petit moment. Puis je me suis approchée de l'éclairagiste.

– Tout le monde est au courant, maintenant, de ce que vous a demandé Audrey Sollen…

– Les flic m'ont déjà questionné cent fois ! a-t-il dit avec agacement.

Il s'est tourné vers une silhouette qui marchait vers nous, Dunhill au bec.

Le scénariste m'a soufflé sa fumée au visage.

– Non bien sûr, a-t-il confirmé, le gorille derrière le wagon n'était pas prévu dans le scénario. Je n'y avais même pas pensé en écrivant la scène. C'était pourtant une bonne idée.

J'ai demandé à l'éclairagiste :

– Pourquoi avez-vous refusé de le faire ?

– C'est elle qui le voulait : Audrey. Personne d'autre. Je n'ai pas voulu prendre cette responsabilité vis-à-vis du producteur et du réalisateur. J'aurais pu y perdre ma place. Vous savez, ces gens-là ne plaisantent pas !

Pourtant, quelqu'un l'avait prise, cette responsabilité, et s'était glissé dans le déguisement.

Le scénariste m'a attrapé le coude. On a marché ensemble côte à côte à travers la foire. Il m'a parlé de son boulot, de ses rapports avec les producteurs et les réalisateurs, avec les artistes, il a évoqué le poids énorme d'un succès.

– Beaucoup d'argent en jeu. Treize millions de téléspectateurs, ça ne se traite pas à la légère !

Quand j'écris une séquence, je dois penser à tout, le producteur me surveille. S'agit pas de faire la moindre erreur.

Chaque réplique, chaque plan devait être réfléchi. Tout le monde avait l'œil sur son travail.

– Et les acteurs ! Alors là, si vous saviez ! Jalousies, mesquineries, orgueil... faut que je jongle avec tout ça. Si je vous disais que certains comptent chaque ligne de leurs répliques pour voir s'ils n'en ont pas moins que les autres ! Chacun veut avoir la vedette.

– Sylvain Delorme ? j'ai glissé.

– Oh lui, ce n'est pas le plus difficile. Surtout avec moi.

– Je suis au courant, j'ai dit très vite pour le mettre à l'aise.

– Il m'a parlé de votre visite, tout à l'heure. Il est terrorisé à l'idée que des paparazzi puissent apprendre qu'entre lui et moi...

– C'est idiot.

– C'est ce que je lui répète. Mais quand on est un sex-symbol pour des millions de femmes !...

Puis il m'a parlé des starlettes décidées à tout pour déboulonner une star. Celles qui courtisent à longueur de temps un producteur pour lui arracher un rôle. Celles qui mangent de l'ail pendant les tournages. Celles qui volent les maquillages et colportent des ragots.

– Un monde impitoyable… a-t-il conclu.

Il regardait Dumpy Dunce. Sans doute pensait-il que le monde des tigres est moins cruel que celui du cinéma. Dumpy avait encore du rose autour des babines.

J'ai évoqué l'homme au pantalon trop court. Le scénariste a hoché la tête. Il connaissait bien cette faune étrange qu'on retrouve partout dans le sillage des acteurs.

– Les mêmes ! À chaque fois ! Qui restent des heures au pied d'un immeuble… à la sortie des artistes d'un théâtre ou à la porte d'un restaurant pour entrapercevoir leur dieu vivant. J'en ai même connu qui donnaient un billet aux dames pipi pour se cacher dans les toilettes et y attendre un acteur ou une actrice. Avec le seul espoir de lui adresser deux mots, recueillir une poignée de main ou un regard.

– Des fanatiques complètement allumés !

– On les retrouve sur les tournages… partout à travers la France et à l'étranger. On les voit, là, dans un coin, en train de rôder, d'épier... d'espérer on ne sait trop quoi.

Comme notre Pantalon-Trop-Court devant le train fantôme pendant la scène.

Et soudain j'ai réalisé.

– Il était là !

Le scénariste n'a pas compris. Dumpy Dunce non plus, qui a trébuché quand j'ai tiré sur sa laisse.

Je courais vers la caravane de la régie.

– Repassez-moi la séquence du balcon !

Le monteur a ronchonné, mais il a sorti la bande et l'a placée dans l'appareil.

Sur l'écran de contrôle, la façade du train fantôme est apparue. En plan large. Avec les badauds agglutinés devant le manège.

– Arrêtez !

L'image s'est figée.

– Zoomez sur lui !

J'ai pointé l'index.

– Là... au milieu des figurants !

Pantalon-Trop-Court. Le nez levé vers le balcon d'où allait jaillir le wagon occupé par Audrey Sollen, avec le gorille accroché derrière.

– S'il était en bas... il ne pouvait pas être dans la peau du singe !

15

Un indice

– La glu !…

On ne comprenait plus rien. Si Pantalon-Trop-Court avait un alibi, si ce n'était pas lui qui était caché dans le déguisement du gorille… pourquoi avait-il déserté sa chambre d'hôtel ?

Avait-il fui ? Avait-il disparu involontairement ? Enlevé lui aussi ? Assassiné ?

Et qui, alors, avait kidnappé Audrey Sollen ?

– En demandant une rançon d'un million !

Je me rendais compte que personne n'avait plus évoqué cet argent. Y avait-il eu des tractations en douce ? En secret des médias ? La police avait-elle pris contact avec les ravisseurs ?

Arthur réfléchissait. Comme Vanessa, comme Guillaume. Et comme moi. (Pas Dumpy qui jouait avec le bâton de barbe à papa déchiqueté.)

– Tu l'as dit à Vaug ?

– Pas encore.

– Ce type n'est pas net, de toute façon !

Guillaume voulait parler du fan, pas du flic.

– Si on allait voir nous-mêmes sa chambre d'hôtel ?

– J'emprunte une carabine de mon père et on y va ! a lancé Arthur qui se croyait dans un film policier.

– Et on embarque ton tigre ! a rajouté Guillaume.

J'ai fait la moue.

– Je doute que ça serve à quelque chose.

(Je pensais autant à la carabine qu'au talent de Dumpy… qui nous aurait été guère utile. Il ne m'en a pas voulu, toujours accroché au bâton baveux.)

– On va voir Mme Andréa !

– Pour qu'elle lise dans ses tarots ? Tu y crois vraiment ?

Non. À la réflexion, personne n'y croyait. (Personne n'y a jamais cru, aux tarots de la vieille voyante, ni à ses perles birmanes ni à son marc de café, là-bas dans sa caravane aux rideaux rouges, entre sa boule de verre blanc et sa chouette qui se déplume.)

On était désemparés.

Arthur oubliait les carabines de son père, Guillaume oubliait mon tigre et Vanessa oubliait qu'elle n'épouserait jamais Sylvain Delorme...

Comme pour se vider la tête, elle a demandé aux garçons ce qu'ils pensaient, eux, de ce fameux $(a - b)^2$.

C'était bien la première fois que Vanessa se « vidait la tête » avec un problème de maths ! Je n'ai pas écouté la réponse. Je suis allée préparer des milk-shakes pour tout le monde.

En passant devant la longue-vue, j'ai voulu la démonter. Elle ne servait à rien désormais. On n'avait plus aucun intérêt à surveiller la caravane de Sylvain Delorme. Ce mystère-là était éclairci. J'y ai quand même jeté un œil. Par réflexe.

Et j'ai vu... une montre.

Là-bas entre les caravanes, dans la dernière lueur du crépuscule, une montre aux chiffres fluorescents, une montre que nous connaissions, autour d'un poignet que nous connaissions aussi.

– Fais voir ! a crié Guillaume en plaquant son œil.

Cette même montre que nous avions aperçue au poignet du gorille le jour de l'enlèvement… était cette fois autour du poignet du producteur.

Nous sommes sortis de la caravane sans faire de bruit. J'avais hésité à prendre Dumpy Dunce. Il pouvait nous gêner.

Le producteur quittait le camp.

Venait-il de chez Sylvain Delorme ? De la caravane d'Audrey Sollen ? Impossible de le savoir. Que serait-il venu y chercher ? Des vêtements ? Encore ?

À grandes enjambées, il se dirigeait vers la foire. J'ai aussitôt pensé : le meilleur endroit pour se cacher, se fondre dans la foule. Nous avait-il vus le suivre ?

Arrivé dans la lumière et le bruit des manèges, il n'a pas hésité, il a longé le Petit Train du Far-West, puis la grande roue. Des jeunes l'ont bousculé, il ne s'est pas arrêté. Il marchait droit vers un objectif précis. Le train fantôme ?

Le producteur en dépassait la façade. J'ai eu le temps d'apercevoir mon père qui vendait les tickets.

– Regarde !...

Arthur me poussait du coude. L'homme prenait la direction du Dragnet Flame de ma mère.

– Qu'est-ce qu'il veut faire là-dedans ? j'ai murmuré.

Mais il n'y est pas entré non plus. Il se dirigeait vers la caravane aux rideaux rouges.

« Mme Andréa, voyante, tarots, perles birmanes. »

Nous sommes restés tous les quatre cachés derrière la Pêche Miraculeuse, à guetter la porte de la caravane.

– La vieille Andréa !... répétait Arthur, ahuri.

– Qu'est-ce qu'il peut bien lui demander ? j'ai chuchoté. Qu'est-ce qu'il veut savoir ?

– Peut-être si la rançon lui sera bien remise ? a proposé Vanessa.

– Et si les billets seront vrais ? a clos Guillaume.

Parce que le producteur ressortait. Il était resté moins d'un quart d'heure avec la vieille voyante.

Suffisamment pour qu'elle lui dévoile son avenir ?

– Arthur, tu vas dans la caravane ! Tu demandes à Mme Andréa ce qu'il voulait savoir. Nous, on le lâche pas !

Nous nous sommes séparés. Le producteur quittait la foire et s'engageait sur le pont Boildieu.

Vanessa, Guillaume et moi suivions de loin.

– Foutues illuminations !... a pesté Guillaume.

Avec toutes ces ampoules qui décoraient le pont de leur lumière dorée, il fallait rester à distance pour ne pas se faire remarquer.

Il remontait la rue du Grand-Pont. Nous le pistions à la queue leu leu, en nous efforçant de bondir dans les taches d'obscurité.

– Il se dirige vers la cathédrale...

Sur le parvis, un homme l'attendait. Nous l'avons reconnu : l'employé de la chaîne chargé des programmes de fiction. Les deux hommes discutaient en balayant les alentours du regard. Malgré l'illumination des rues, l'ombre de la cathédrale, imposante, les enveloppait.

Ils sont entrés par une porte latérale.

Nous nous y sommes engouffrés aussi.

À l'intérieur, ils ont marché directement vers le baptistère, au niveau de la tour Saint-Romain, sous le regard de pierre d'Adam et Ève qui semblaient les épier.

Les deux hommes paraissaient chercher quelque chose.

– La rançon ?... a soufflé Vanessa.

– Drôle d'endroit pour ça ! a fait Guillaume.

On avançait toujours, au milieu des tombeaux cette fois, dans une atmosphère glaciale parmi les gisants de pierre dont la présence immobile mettait mal à l'aise...

Les vitraux laissaient passer les lumières de la rue. (« Rondels », « grisaille », « sanguine », émaux... Pas le temps de contempler ces « chefs-d'œuvre de l'âge d'or du vitrail normand du XVe siècle »... comme nous l'avait expliqué la prof d'histoire.)

Les deux hommes se sont arrêtés devant l'immense tombeau de Louis de Brézé. L'argent de la rançon était-il là, déposé derrière le corps de pierre allongé sur le dos, silencieux dans son éternité ?

Ils cherchaient. Ne trouvaient pas.

Ils prenaient maintenant la direction de la chapelle du transept pour s'engager dans l'escalier qui descend à la crypte.

Terrifiant !

En bas, les pas claquaient sur les dalles. Il faisait encore plus froid. Guillaume s'est penché à mon oreille :

– Le cœur de Charles V a été retrouvé ici, dans un coffret…

Malin ! J'en avais les genoux qui grelottaient.

Un froissement dans mon dos. J'ai sursauté. Ce n'était qu'Arthur, essoufflé. Ils nous avait suivis de loin, sans perdre notre trace depuis la foire.

– Devinez ce qu'il a demandé à Mme Andréa ?…

Silence.

– Où était Audrey Sollen !

– Hein ?

– C'est ça qu'il voulait savoir. Dans les perles et les tarots. Exactement ça : où se trouve Audrey Sollen !

Nous ne comprenions plus rien.

Soudain le deuxième homme s'est retourné.

Et il nous a vus.

– Je n'aurais jamais imaginé une chose pareille ! a fait Vanessa.

Eux l'avaient imaginé. Un faux enlèvement !

Le responsable de la chaîne nous l'avouait, penaud :

– Une sacrée pub ! Audrey Sollen enlevée sur le tournage de *Soleil de femme* !

– Sous l'œil des caméras ! j'ai fait, comprenant ce qui m'avait tout d'abord paru étrange.

– J'avais peur que les nouveaux épisodes ne retiennent pas suffisamment de téléspectateurs, argumentait le producteur. C'était une obsession ! J'étais très angoissé à l'idée de perdre des parts de marché. J'ai pensé qu'un tel coup de théâtre aurait boosté l'audience.

Kidnapper l'héroïne dans le train fantôme !

– Elle était au courant ? a demandé Arthur.

– Évidemment ! a dit le responsable de la fiction. L'idée lui plaisait, même ! Pour elle aussi c'était un joli coup de pub ! Elle aurait raconté une évasion bidon dans quelques jours, quand la tension aurait commencé à retomber. Elle avait tout à y gagner !

Le producteur avait poussé le jeu jusqu'à rendre le drame plus frappant : en le mettant en scène devant les caméras.

Au début, il ne savait pas encore exactement quand et où le faux enlèvement s'opérerait. Audrey Sollen avait eu l'idée de tourner la scène du train fantôme avec un gorille derrière son wagon. Mais personne dans l'équipe n'avait voulu prendre la responsabilité de jouer le gorille à l'insu du réalisateur. Elle avait aussitôt récupéré l'idée : ce serait le gorille, précisément, qui l'enlèverait !

L'actrice avait soufflé le projet au producteur. « Géant ! » Il avait lui-même endossé le rôle du gorille-kidnappeur !

– Et tout le monde a marché...

Tout le monde avait couru, même ! La presse, la police... et nous ! Depuis son « enlèvement »,

Audrey Sollen se cachait dans le mobile home du producteur.

– Seulement voilà… depuis hier, elle n'y est plus !

Envolée ! Disparue !

– On a pensé qu'elle avait été vue par un paparazzi ou un badaud. On s'était dit qu'en cas de problème on se retrouverait ici, dans la cathédrale.

Mais l'actrice n'y était pas.

Audrey Sollen avait bel et bien disparu, cette fois.

Le scénario du faux enlèvement avait pris des allures de vérité tragiques.

16

Visite chez la voyante

Retour à la case départ.

Cette fois la piste ne démarrait pas du train fantôme de mon père, mais du mobile home du producteur.

– Et cette fois Pantalon-Trop-Court n'a plus d'alibi !

On marchait dans les rues de la ville sans parler. En franchissant la Seine, j'ai tourné la tête. L'eau du fleuve était noire. Comme cette histoire.

– La glu…

On traversait la foire endormie. Il était plus de minuit. Les autos tamponneuses étaient sagement garées au bord de la piste, les camions des confiseurs avaient baissé leurs panneaux et la chenille était bâchée. Nos pieds shootaient dans les sachets de frites et de churros vides.

Lugubre !

En désespoir de cause, Guillaume nous a poussés vers la caravane aux rideaux rouges.

– On peut toujours essayer. Qu'est-ce qu'on risque ?

Mme Andréa ne dormait pas. (Elle couche au fond de sa caravane de travail, dans l'enceinte de la foire, entre ses cartes et sa chouette, ses ustensiles de divination et de cuisine.)

– Qui est-ce ?…

(J'ai trouvé bizarre qu'une « voyante » pose la question.)

Elle nous a ouvert.

– Asseyez-vous.

Elle a sorti sa boule d'un placard et l'a essuyée en soufflant de la buée dessus.

– Je vois… je vois…

Elle y mettait le ton. Toute la dramaturgie rituelle. Elle nous prenait vraiment pour des comiques ! Des blaireaux comme il en passe des dizaines chaque jour devant ses lames et qui gobent tout cru ses boniments.

– Oui… je vois… je vois…

Dans son dos, les yeux de la chouette empaillée avaient des reflets d'émeraude. On aurait dit qu'ils voyaient, eux aussi. Ils nous fixaient d'une prunelle soucieuse.

– Qu'est-ce que vous voyez, madame Andréa ?

Vanessa, Guillaume, Arthur et moi étions assis en demi-lune de l'autre côté de sa boule de « cristal ». (J'ai déjà cafté : ce n'est que du verre blanc.)

– Elle ! Je la vois : elle !

– Audrey Sollen ?

– Très précisément !

– Où ? Où ?... pressait Arthur.

(La chouette n'y a vu aucune concurrence dans l'art du hululement. Pas vexée du tout, la bestiole.)

– Où ? a répété Vanessa.

– Dans...

– Dans quoi, madame Andréa ?

– Du bleu marine...

Ça nous a noué le ventre, cette histoire de bleu marine. Parce que nous nous souvenions tous de la phrase de Guillaume : « Il manque son pull bleu marine ! »

– Dans du bleu marine ? j'ai balbutié.

La vieille voyante n'évoquait sans doute pas d'océan… mais bien le pull qui avait disparu des placards de la star.

Du coup, la vieille chouette nous a semblé plus ombrageuse. Plus angoissante aussi. Une seule petite lampe diffusait dans l'espace exigu de la caravane une lueur fuyante.

– C'est ça… oui… confirmait Mme Andréa, les yeux noyés dans son verre.

Les mains aux ongles carmin caressaient la boule amoureusement. (Une façon d'amadouer le destin ?)

– Ça alors !…

Je n'ai jamais voulu croire à ce genre de trucs. Pourtant, je dois avouer qu'elle me troublait.

Elle nous a encore dit :

– C'est étrange… je la distingue… derrière de gros verres ronds…

Audrey Sollen ne portait pas de lunettes. Est-ce qu'elle commençait à fatiguer, notre voyante ?

On est ressortis perplexes.

Je n'ai pas réveillé Dumpy Dunce et j'ai branché mon portable.

Seb-wapiti@chicoutimi.com.

J'ai pianoté :

Tu as peut-être raison. « Le Faucon » : une histoire d'yeux. Il voit tout. Il observe tout. Comme s'il avait de grosses lunettes rondes ?

Lorsque nous avions surpris Pantalon-Trop-Court rôder autour de la caravane de l'actrice, il ne portait pas de lunettes. Il n'en avait pas non plus au milieu des badauds devant le train fantôme au moment du tournage. Cette histoire de « verres ronds » n'était peut-être qu'une image. Une métaphore.

La métaphore du faucon ?...

Je me suis aventurée un moment sur le Web pour tenter de piocher des renseignements sur les associations de fans, sur les hôpitaux psychiatriques et les études scientifiques abordant le sujet.

Puis j'ai éteint.

Dumpy Dunce a sauté sur mon lit pour s'endormir contre moi, la truffe dans mon cou.

On s'est retrouvés sur le pont Corneille, dans la brume du matin, pour gagner le lycée ensemble.

– J'y ai pensé toute la nuit. Pas fermé l'œil !

Chacun avait encore à l'esprit les visions de Mme Andréa.

– Quand même !...

L'aveu du producteur et du responsable de la chaîne risquait d'être piteux, ce matin. Je n'aurais pas aimé être à leur place, tout à l'heure, quand ils iraient dans les bureaux du SRPJ faire leur *mea culpa* et raconter l'histoire au lieutenant Vaug.

La presse ne tarderait pas à se jeter sur le sujet. (Avec quelle joie elle dénoncerait la manœuvre !) Les télés concurrentes aussi, qui pointeraient du doigt les méthodes de la chaîne mystifiant des millions de téléspectateurs dans le seul but de gonfler l'audience de son feuilleton et d'en grossir la part de marché.

Ça promettait !

Pendant le cours de sciences-nat', j'ai soufflé à Vanessa :

– J'ai demandé à mes parents de garder un œil sur sa caravane, ce matin... Rappelle-toi : le kidnappeur est revenu chercher des habits pour Audrey. Peut-être qu'il va revenir ?

(J'avais négocié la collaboration parentale contre la promesse de faire le fantôme pour mon père et d'améliorer le système informatique du Dragnet Flame de ma mère.)

Ce n'est qu'à la récré de dix heures qu'Arthur nous a balancé sa théorie de génie.

– Bien sûr, mais c'est risqué. Revenir une deuxième fois, ce serait inconscient !

– Alors ?

– Réfléchissez ! Plutôt que de lui rapporter ses habits, il va préférer lui en acheter de nouveaux !

– ... ? !

– Moi, à sa place, c'est ce que je ferais.

Ce n'était pas bête du tout.

Il ne nous restait plus qu'à visiter les magasins de Rouen, portrait-robot en main.

– On découpera la ville et chacun prendra un secteur !

Un travail de fourmis.

Pendant le cours d'histoire, j'ai affiné le plan.

– Audrey Sollen, c'est une star... capricieuse, exigeante... habituée au luxe ! Elle refusera de porter n'importe quoi ! Même en captivité !

Ça éliminait les boutiques ringardes.

– C'est dans les magasins à la mode, très modernes, qu'il faudra qu'on aille !

Vanessa était d'accord.

(Pas la prof d'histoire, qui était fagotée comme l'as de pique et ne supportait pas les bavardages en classe. Elle m'a rappelée à l'ordre sèchement, avant d'en profiter pour me demander quelques dates vicieuses de batailles napoléoniennes.)

À midi, personne n'est rentré déjeuner.

– On achètera des sandwichs !

Arthur n'est pas resté à la cantine. On avait besoin de lui.

Le découpage de Rouen a été fait avec une rigueur militaire. Quatre secteurs : nord-est, sud-est, nord-ouest et sud-ouest. (Napoléon en aurait été baba.)

Mais au bout de deux heures, aucun de nous n'avait déniché de magasin où serait venu le ravisseur. Ni au nord, ni au sud, ni à l'est, ni à l'ouest. Waterloo.

Guillaume a pensé à autre chose.

– Il n'y a pas que les vêtements !...

Il avait frappé à la porte de ma caravane. Les autres nous avaient rejoints.

– Réfléchis, Clém'! Les vêtements, dans ces conditions, elle ne va pas en user tellement. Un kidnapping, c'est pas un défilé de mode ! Par contre, la bouffe…

Mais oui, bien sûr !

– Ce type, il va devoir la nourrir, sa prisonnière !

Arthur a enchaîné, plein d'enthousiasme :

– Et même : *bien* la nourrir ! Si on part de l'hypothèse que c'est un fan, je suis persuadé qu'il va s'appliquer à *bien* la traiter… du moins au début.

– Qu'est-ce que tu veux dire ?

– Je veux dire qu'il a enlevé son idole, qu'il est près d'elle ! C'est un rêve, pour lui ! Bien sûr, on ne peut pas prévoir ses réactions. Il peut devenir dangereux ! Mais dans les premiers temps, qu'est-ce qu'il va faire ? Il va être aux petits soins pour elle !

On a redistribué le découpage de la ville et chacun s'est muni d'un téléphone portable. La présentation du portrait-robot se ferait, ce soir, dans les magasins d'alimentation.

17

Suspect en vue !

Vanessa couvrait le quart nord-est, Arthur le quart sud-est, Guillaume et moi nous partagions la partie ouest de la ville.

J'ai commencé par les boucheries et les charcuteries du quartier de la Madeleine. Derrière les couteaux, entre deux tranches de pâté de lièvre, on m'a répondu par des moues incertaines.

Chez les traiteurs, même réception. (Et même déception.) Les serveuses se penchaient par-dessus les présentoirs, examinaient les dessins et faisaient non de la tête.

J'utilisais le portrait-robot « officiel », celui de la police, mais aussi le croquis qu'avait fait Guillaume de l'homme au pantalon trop court. (Guillaume a toujours eu du talent, crayon en main. Au collège, en cours d'expression artistique il était parfois meilleur que ses profs. Je l'encourage depuis longtemps à suivre les Beaux-Arts après le bac, plutôt que de prendre la succession de ses parents à la tête de la grande roue.)

En sortant une nouvelle fois bredouille d'un magasin, je me suis demandé si le ravisseur ne s'était pas déguisé. S'il portait une fausse barbe et des lunettes, à quoi nous servaient nos portraits ?

J'ai descendu le passage de la Luciline en direction des quais. Là-bas les cargos amarrés attendaient de poursuivre leur voyage jusqu'à l'océan. Ils se laissaient remplir ou vider, tranquilles, comme de gros animaux confiants. Des grues rouillées fouillaient leurs cales à coups de mâchoires affamées. Demain, ils appareilleraient pour suivre le courant de la Seine jusqu'au Havre et se jeter dans l'Atlantique, l'étrave impatiente, avec des envies de sel.

J'ai sorti mon portable pour appeler les autres. (Guillaume et Arthur avaient emprunté les téléphones parentaux.)

– Alors ?...

Ils en étaient au même point que moi. Arthur avait écumé les traiteurs, Guillaume les épiceries fines. Quant à Vanessa, elle avait choisi d'enquêter en priorité dans les pâtisseries. Pardi !

Ça m'a donné une idée...

Si le ravisseur était suffisamment attentif à sa prisonnière pour avoir pensé à lui rapporter des vêtements propres... pourquoi ne serait-il pas aussi prévenant avec la nourriture ?

J'ai composé le numéro de l'agent artistique.

– Vous me demandez ce qu'Audrey préférait... manger ?

– C'est très important !

– Mais...

– Dites-le-moi. Vous connaissez ses goûts, vous allez souvent au restaurant ensemble !

– Oui, bien sûr. Si vous pensez que... elle adore la poularde demi-deuil.

– Et comme dessert ?

– Elle a toujours eu un faible pour le tiramisu.

Pas évident. Beaucoup de traiteurs étaient susceptibles d'en fournir. J'allais raccrocher. Il me restait une dernière chance.

– Le vin ? j'ai fait.

– Le bourgogne blanc, a-t-elle répondu sans hésiter.

J'ai soupiré. Ça n'orientait pas les recherches. Même les grandes surfaces en vendent. L'agent a perçu mon désarroi. Elle a marqué un temps, avant de lâcher :

– Mais ce qu'elle aime par-dessus tout, c'est la cuisine chinoise.

L'enseigne représentait un dragon rouge crachant des flammes. Sur la devanture, en français horizontal et en chinois vertical, était inscrit : *Au Dragon Fumant.*

C'était mon idée qui était fumante !

Parce que le vendeur a branlé vigoureusement du front en posant les yeux sur les portraits. Oui, il l'avait vu. L'homme était venu lui acheter des nems et des rouleaux de printemps.

Je me suis postée en face, de l'autre côté de la rue.

J'ai regardé l'heure : dix-neuf heures dix.

Avec un peu de chance, ce soir Audrey Sollen dînerait chinois. Et moi j'attraperais notre gros poisson.

Au moment où je piochais mon portable au fond de ma poche, Pantalon-Trop-Court a débouché dans la rue.

Il a poussé la porte et s'est engagé sous le dragon rouge.

J'ai fait le premier numéro.

– Vanessa !... Je l'ai logé !

(C'est comme ça qu'on dit, dans les milieux de l'espionnage.)

– Où ?

– Rue de Lecat. Il vient d'entrer dans un restaurant chinois. *Au Dragon Fumant.* Rameute les autres !

Quand l'homme est ressorti, son petit sachet à la main, il s'est engagé dans le boulevard de Boisguilbert qui mène au port. Il marchait vite. On voyait ses chevilles. Il portait le même pantalon qui ne s'était pas rallongé. Il n'avait même pas pris la précaution de se déguiser, comme je l'avais imaginé.

Boulevard Ferdinand-de-Lesseps.

Il a tourné à droite.

J'essayais de rester à couvert. Ce n'était pas toujours facile. Quand il a pris la rue Nétien, j'ai bien cru que j'allais le perdre. Il avait traversé et bifurqué dans la rue de Lillebonne.

Rue Nansen, j'ai eu peur. Un bus passait. J'ai pensé qu'il allait le prendre. Non. Il poursuivait sa marche. Et il ne m'avait pas repérée. Il a franchi les rails. Une locomotive a poussé son cri de sirène. Je me suis abritée derrière le convoi. Le train livrait sa cargaison de containers vers les quais de la darse Charles-Babin, il ne roulait pas très vite et je l'ai suivi en progressant le long des boggies, gardant cet obstacle opportun entre Pantalon et moi.

Je gardais les yeux fixés sur le fuyard qui a brusquement accéléré sa marche.

Arrivé sur le Môle central, il a gagné la deuxième darse, longeant les coques des bateaux.

J'ai pensé : « Un bateau ! »

Audrey Sollen était prisonnière dans...

La voix de Mme Andréa s'est mise à résonner dans ma tête. « Je la vois... dans du bleu... marine ! »

Ce n'était pas spécialement son pull angora que la voyante avait deviné dans sa boule de verre, mais l'aspect « marin » de son environnement. J'en étais clouée !

Pantalon-Trop-Court mettait le pied sur une échelle de corde, au flanc d'un énorme cargo. *Le Cucaracha.*

J'ai appelé les autres.

– Vanessa ?... Ça y est ! Il est monté à bord d'un bateau. Darse Paul-Darillon. Quai n°3... *Le Cucaracha* !... Je répète, *Le Cucaracha* !...

Elle était avec Arthur et Guillaume. Ils s'étaient retrouvés rue de Lecat, devant le *Dragon Fumant.*

– Tu appelles Vaug ! J'y vais !

Et j'ai grimpé à mon tour l'échelle de corde branlante le long de la coque écaillée.

18

Filature

L'écho de ses pas ricochait entre les cloisons désertes. J'avais du mal à situer l'homme dans le ventre de ce gigantesque cargo.

Si ! Il descendait.

Les coursives étaient désertes. Le sol était humide. Des odeurs de rouille et d'océan. Le bateau était abandonné.

Dans les escaliers en fer, je m'agrippais aux rampes glacées. L'homme descendait toujours. J'ai redouté qu'il ne m'ait vue. Sa technique était-elle de m'entraîner au fond des cales pour m'y ?...

Il a traversé la salle de chauffe.

J'ai dû contourner d'énormes pistons collés d'huile durcie, caramélisée sur un mouvement arrêté. Des turbines, des axes et des bras métalliques figés dans leur abandon muet.

Chaque objet, chaque partie du bateau semblait être stoppé net dans un ultime élan d'agonie. Souvenir du temps où tout ça bougeait, vibrait, où les râles des mécaniques et des hommes se mêlaient... où les cris des unes et des autres retentissaient à l'unisson pour un même but : l'horizon.

Un temps lointain où le gros cargo naviguait sans avoir peur des océans.

Désormais, c'était comme un ventre de bête morte. Inutile, froid, sans vie. Avec les seuls souvenirs de traversées anciennes dans le métal poli par les mains des marins débarqués...

Une sensation de désolation.

J'avançais toujours à l'intérieur des entrailles glacées, telle une intruse venue de la terre, dans un univers inconnu dont elle ne percerait jamais les secrets. Le vieux cargo se taisait, comme attentif à ne pas me trahir. Une étrange fraternité s'installait entre lui et moi.

Une clé anglaise est tombée par terre au moment où je m'appuyais contre une cuve à gasoil. L'autre, là-bas, avait-il entendu ?

Au-delà de la salle de chauffe, on ressortait dans un couloir étroit et obscur. De chaque côté : des portes. Vraisemblablement les cabines des hommes d'équipage.

Un virage, une coursive, un coude...

Un vrai labyrinthe, ce cargo.

Soudain, une clé dans une serrure, une porte qui claque.

Je m'en suis approchée. J'ai plaqué mon oreille.

La voix d'Audrey Sollen !

Que faire, maintenant ?

Impossible d'entrer en force dans la cabine. Impossible de téléphoner. À moins de m'éloigner. Mais je ne voulais pas.

J'entendais des bribes de dialogue derrière la porte en fer. La voix du ravisseur :

– Ce sera un grand voyage... tous les deux... rien que toi et moi... un grand voyage qu'on va entreprendre ensemble...

J'en ai eu des frissons. De quel « grand voyage » parlait-il ? La mort ?

– Je ne veux pas voyager avec vous !… répliquait la voix terrifiée de l'actrice. Laissez-moi partir ! Je vous donnerai de l'argent !

– Mais tu ne comprends pas ? L'argent, je m'en fous ! C'est toi que je veux ! Depuis si longtemps… On est si bien, tous les deux !

Il lui a demandé de manger. Lui disait qu'il lui avait rapporté ce qu'elle aimait. Qu'elle devait prendre des forces pour leur grand voyage.

Ce type était effrayant. Effrayant et cinglé !

Vanessa, Guillaume, Arthur… où êtes-vous ?

Avez-vous eu le temps de joindre le lieutenant Vaug ?

Si jamais la porte s'ouvre, maintenant, sur Pantalon ?

Vanessa, Guillaume, Arthur, Vaug… allez-vous tous enfin arriver ?… Quand ? Comment ? Par où ?… Est-ce qu'il y a un hublot dans cette cabine ? Peut-on espérer l'ouvrir ? Passer par là ?…

C'est alors que la vision de Mme Andréa m'est revenue. De « gros verres ronds ». La voyante avait vu Audrey Sollen derrière de gros verres ronds.

Les hublots !

La porte de la cabine s'est ouverte.

J'ai plongé derrière un angle de la coursive, dos plaqué contre la cloison.

– Sois sage, je reviens... Et tâche de manger !

Il a refermé la porte et introduit la clé dans la serrure. J'ai cherché un endroit où me cacher. Rien, la coursive était lisse comme un œuf. S'il venait dans ma direction, j'étais cuite !

C'est alors que tout s'est bousculé.

J'ai entendu un couinement de souris. Des rats dans ce cargo abandonné ? Non, ce couinement, je le connaissais...

Dumpy Dunce déboulait en moulinant de ses petites pattes maladroites. Derrière lui : le lieutenant Vaug, Vanessa, Guillaume, Arthur... et mon père.

Pantalon-Trop-Court les a entendus. D'un geste précipité il a tourné la clé qui s'est cassée dans la serrure. Il a poussé un juron avant de s'élancer dans la coursive.

Vaug le coursait.

Dumpy s'est jeté dans mes bras. Puis Vanessa, puis Guillaume, puis Arthur… puis mon père. (On aurait dit un joueur de foot qui a marqué un but. J'ai bien failli mourir étouffée.)

– Clém'!… Tu n'as rien ?

Mon père avait posé le balai par terre. Je l'ai rassuré.

Pourquoi le balai ? Qu'est-ce que c'était que ce balai ?

Parce que mon père, au moment où Vanessa l'avait prévenu, était au fond de son manège en train de recoller une canine de Dracula en compagnie de Dumpy. Et ce héros, mon père, avait saisi la première « arme » venue pour se précipiter au secours de sa fille.

Le balai de la sorcière…

Tout le monde courait. Excepté Guillaume qui s'affairait sur la serrure de la cabine où était enfermée Audrey Sollen.

– Sortez-moi de là !… criait l'actrice. Sortez-moi de là !

Pantalon-Trop-Court gravissait les marches en métal d'un escalier. Vaug à ses trousses, pistolet dégainé. Derrière lui, Dumpy s'était élancé, persuadé que tout cela n'était qu'un jeu. Puis venaient mon père (et son balai), Arthur, moi et Vanessa.

En haut de l'escalier, le fuyard a pris la direction de la salle de commandement. Dumpy, tout excité par ce nouveau jeu, a doublé le lieutenant Vaug et trébuché devant ses pieds : le flic s'est gaufré de tout son long. Mon père l'a enjambé en hurlant des menaces, balai à deux mains tournoyant dans les airs.

C'était épique !

Pantalon avait fait le mauvais choix : arrivé dans la salle des commandes, il n'avait plus d'issue. C'était un cul-de-sac ! Il a essayé de s'y enfermer, mais la porte branlante s'est détachée de ses gonds pour tomber par terre.

Mon père avançait, balai pointé en avant comme une mitraillette. Nous étions dans son dos. Vaug là-bas s'était relevé, il nous rejoignait avec son pistolet. (J'avais davantage confiance en eux. Lieutenant de police et Beretta contre mon père et balai de sorcière : y avait pas photo.)

Pantalon n'avait pas d'arme. C'en était fini de lui. Ses yeux cherchaient désespérément quelque chose dans la timonerie. Acculé, reculant pas à pas dans la grande salle vitrée, il a tenté en vain d'arracher une manette au pupitre de commandes. Mais le vieux cargo a résisté, comme dans un dernier effort pour nous venir en aide.

C'était compter sans l'enthousiasme naïf de Dumpy Dunce. Mon tigre s'est jeté sur le ravisseur pour lui mordiller les mollets.

L'homme l'a attrapé par la peau du cou.

– Si vous faites un pas, je l'étrangle !

Nous nous sommes figés. Les mains enserraient le cou de mon Dumpy qui ne pigeait rien.

– Ne faites pas ça ! a lancé Vaug.

Je voyais les doigts du ravisseur presser la fourrure de mon tigre. Vaug a esquissé un pas et les doigts ont augmenté leur pression. Les yeux de Dumpy roulaient comme des billes.

– Reculez ! a jeté Pantalon.

Vaug a hésité. Les doigts ont disparu dans la fourrure blanche et Dumpy a tiré la langue. J'ai cru qu'il était en train de mourir.

– Il le tue !... j'ai hurlé.

La petite langue rose sortait de plus en plus sous les moustaches tremblantes. Mon bébé commençait d'étouffer.

– Lieutenant !

Vaug a fait deux pas en arrière en baissant le canon de son arme. Mon père l'a imité en abaissant son balai.

Avec mon tigre en otage, l'homme allait pouvoir s'en tirer.

Mais il avait relâché la pression sur le cou de Dumpy et celui-ci, de bonheur, s'est mis à agiter sa langue pour de grosses léchouilles de reconnaissance. (En plus, Pantalon-Trop-Court devait sentir la cuisine chinoise. Une saveur que Dumpy ne connaissait pas, mais qu'il trouva appétissante.)

Mon père et Vaug en ont profité pour bondir. Ils ont ceinturé le ravisseur et Dumpy Dunce s'est retrouvé par terre, un peu surpris.

19

Hollywood

La descente du *Cucaracha* fut... hollywoodienne !

Guillaume avait réussi à forcer la serrure de la cabine et tout le monde avait quitté le cargo sans bobo : Audrey Sollen en se recoiffant (il y avait déjà des journalistes et des photographes en bas de la passerelle), mon père en souriant aux objectifs, balai levé en signe de victoire, et Pantalon-Trop-Court les mains sur la tête avec le pistolet de Vaug dans les reins.

– Je ne lui aurais pas fait de mal... a-t-il bredouillé en posant le pied sur le quai. Je voulais seulement... la voir... lui parler... qu'elle m'écoute... et faire un grand voyage avec elle...

Hollywood, justement ! Un studio a racheté notre histoire pour en faire un film à gros budget.

L'affaire du faux enlèvement a été étouffée. Le producteur nous a remerciés avec un paquet de billets de cinéma gratuits.

Audrey Sollen, lors de la conférence de presse, a déclaré qu'elle avait été sauvée par « une troupe de jeunes gens épatants », et qu'elle nous invitait tous les quatre pour la prochaine remise des Oscars.

À Hollywood !

– Le miel !...

Lors de cette même conférence de presse, Sylvain Delorme a révélé son homosexualité. Ce qui n'a ému personne. Et finalement, Vanessa l'aime encore plus qu'avant. (Il lui a offert une de ses écharpes blanches parfumées.)

Le balai a retrouvé les bras de sa sorcière au fond du train fantôme de mon père, et on a fini par quitter Rouen pour la ville de notre prochaine foire.

La vieille Mme Andréa rigole en douce, le soir derrière ses rideaux rouges, entre sa boule magique et sa chouette aux yeux verts.

– Hollywood !... répète chaque jour Vanessa en rêvant aux comédiens qu'elle y croisera.

Arthur et Guillaume sont impatients. J'attends moi aussi le matin de ce grand départ.

J'ai une seule inquiétude : je me demande si Dumpy Dunce supportera l'avion.

Et un espoir : je me dis qu'avec les véritables hamburgers américains, il apprendra peut-être enfin à manger de la viande.

Table des matières

Loi 49-956 du 16 juillet 1949
sur les publications destinées à la jeunesse

Achevé d'imprimer en octobre 2001
sur presse Cameron par Bussière Camedan Imprimeries
à Saint-Amand-Montrond (Cher)
Dépôt légal : 4e trimestre 2001
N° d'impression : 014466/1